ESTA ES LA M

EL COMPAÑERO Y SUS MISTERIOS

Segundo Grado

Obras del Autor:

- Esta es La Masonería.

    El Aprendiz y sus Misterios. Primer Grado.
    El Compañero y sus Misterios. Segundo Grado.
    El Maestro Masón y sus Misterios. Tercer Grado.
    El Maestro Secreto y sus Misterios. Cuarto Grado.
    El Maestro Perfecto y sus Misterios. Quinto Grado.
    El Secretario, el Preboste y el Intendente. Sexto, Séptimo y Octavo Grados.
    El Maestro de los Nueve. Noveno Grado.
- *Adonay* (Novela iniciática del Colegio de los Magos)
- *Yo Soy*. Breviario del Iniciado y Poder del Mago
- *Las Llaves del Reino Interno* o El conocimiento de sí mismo
- *El Reino* o El Hombre Develado (Continuación de *Las llaves del Reino Interno*)
- *La Magia del Verbo.* El poder de las letras
- *Rasgando Velos* o La develación del Apocalipsis de San Juan
- *La Zarza de Horeb* o El Misterio de la Serpiente
- *Poderes* o El Libro que Diviniza
- *Cosmogénesis.* Según la memoria de la Naturaleza
- *El Pueblo de Las Mil y Una Noches*
- *Revivir lo Vivido*
- *El Génesis Reconstruido*
- *Del Sexo a la Divinidad* o Historia y Misterio de las Religiones
- *El Bautismo del Dolor*
- *20 Días en el Mundo de los Muertos*

Publicadas por Editorial Kier S.A.

ESTA ES LA MASONERIA

EL COMPAÑERO Y SUS MISTERIOS

Segundo Grado

JORGE ADOUM
(Mago Jefa)

PRIMERA EDICION

EDITORIAL KIER S.A.
Av. Santa Fe 1260
(1059) Buenos Aires - Argentina

Ediciones en castellano
Editorial Kier S.A.
Buenos Aires, 2000
Diseño de tapa:
Graciela Goldsmidt
Composición tipográfica:
Cálamus
Correctora de pruebas:
Delia Arrizabalaga
Libro de edición argentina
ISBN: 950-17-0942-6
Queda hecho el depósito que marca la ley 11.723

Av. Santa Fe 1260
C 1059 AUT - Ciudad de Buenos Aires
Tel. (54-11) 4811-0507 / FAX: (54-11) 4811-3395
e-mail: info@kier.com.ar
www.kier.com.ar
Impreso en la Argentina
Printed in Argentina

Dedico esta obra al amigo
Dr. Antonio Lázaro,
compañero del Camino.
El autor

DOS PALABRAS AL COMPAÑERO

Ser Compañero es ser Obrero de la Inteligencia Superior y Constructiva.

Su trabajo perfecto, en el grado de Aprendiz, lo hace el compañero de Maestro Interno, el cual le da el pan del saber y el agua que satisfacen toda el ansia de la vida.

Cuando el Aprendiz se libera del yugo de la ignorancia y de las cadenas de las pasiones, errores y vicios, tiene el privilegio de ser, en su fuero íntimo, un Compañero digno, o sea, de ser al mismo tiempo su Dios y el Maestro que le guía hacia el Amor, el Saber y el Poder.

Estando el Reino de Dios en el hombre, este debe buscarlo dentro de su cuerpo, de su propio mundo interno, para en el Segundo Grado, llegar a unirse con YO SOY, identificarse con ÉL, reconocer y sentir su unidad.

Cuando la conciencia del Aprendiz, que es conocimiento, ve lo irreal en la materia, entonces se desprende de la envoltura material para identificarse con YO SOY, y, por concomitancia, con todos los seres.

Esta es la unión con la Unidad, donde la conciencia se conoce a sí misma y a los demás que están unidos a ella: de esta forma, el Conocedor, el Conocido y el Conocimiento se identifican.

El Aprendiz debe dedicarse, durante tres años, al estudio y a la meditación, para merecer la elevación y la recompensa del Segundo Grado de Compañero; de otra manera, sería obsequiarle un libro en un idioma desconocido, que de nada le podría servir.

El Primer Grado es el grado del aprendizaje y del esfuerzo en el trabajo y no cumplimiento del deber. Conocemos algunos hermanos que, hace más de diez años, están en el Primer Grado, y cuando se les invitó para ser elevados, respondieron: "Toda una vida no es suficiente para practicar el Grado de Aprendiz" .

Capítulo I

CEREMONIA DEL SEGUNDO GRADO Y SU SIGNIFICADO

1. No hay sino una sola Iniciación, y esta es la que corresponde al Primer Grado de Aprendiz.

Las ceremonias de elevación a los demás grados demuestran solamente las etapas del progreso en la Senda del Iniciado.

En cualquier ciencia, religión o jerarquía, la división en grados es de fundamental importancia.

Sin embargo, la ceremonia es necesaria en *la recepción del candidato*, para demostrar la evidencia de su progreso y de su esfuerzo.

2. Dueño ya de lo que su Maestro Interno le enseñó, y depositario de su confianza, y tras servir con ahínco, el Aprendiz se hace merecedor a mejor recompensa y mayores luces del conocimiento, las cuales le capacitan para Superarse.

La ceremonia de recepción del Segundo Grado demuestra, en su simbolismo, las etapas de la perfección adquiridas por el masón o constructor, por medio de sus esfuerzos personales.

3. Sin embargo, a pesar de su adelanto, el nuevo Compañero tiene que seguir todavía a su Maestro, que dirige y vigila sus pasos sobre la Senda, porque, no obstante su progreso, él no es capaz de caminar por sí sólo, sin necesidad de un guía.

El Segundo Grado tiene por objeto hacer del neófito un vidente, esto es, abrirle el ojo interno, a fin de que pueda seguir, con su LUZ INTERIOR, en dirección al Magisterio.

4. Eran necesarios tres años para perfeccionarse en

el Grado de Aprendiz, aunque antiguamente fueron cinco; pero, para el Grado de Compañero, los cinco años son pocos para poder abarcar el Saber que se le exige y las prácticas que se le piden.

5. EL EXAMEN: Para poder apreciar el adelanto del candidato, se procede, como en las escuelas y colegios, al examen del discípulo. Este examen no se limita a conocimientos superficiales, sino a trabajos serios y a prácticas fundamentales de Aprendiz. Este examen se efectúa en el Templo y en plena luz, esto es, el Aspirante da cuenta de su progreso a su Maestro Interno y, en esta ocasión, no es despojado de sus metales inferiores porque, con el esfuerzo de su alquimia, los transmutó en metales superiores.

6. En el Segundo Grado no deben existir ni vendas en los ojos, ni el descubrimiento simbólico del pecho y la rodilla izquierda, porque el Aprendiz ya conoce la Verdad o el camino de la Verdad. El Grado de Aprendiz tiene el interrogatorio del profano aceptado, a fin de que esclarezca sus ideas sobre el vicio y la Virtud. En el Segundo Grado debe esclarecer lo que descubrió sobre la Verdad y la práctica de la Virtud, porque, sin Virtud, no se puede llegar a la Verdad.

Cinco son las preguntas, pero varían según el ritual. Ellas son:

7. ¿Qué es el Pensamiento?

El Ser Pensante o el Pensador es el Primer Aspecto del Dios Íntimo en el Reino del Hombre, quien tiene a su cargo el mundo del pensamiento y sus modalidades, como la meditación, imaginación, concentración, etc.

El ser humano se imagina según lo que piensa, piensa según lo que siente y siente según desea: de esta regla se deduce que, para pensar bien, debemos tener buenos deseos y buenos sentimientos. Entonces, el Pensamiento es la facultad de conocer las cosas y relacionar la mente del Pensador con esas cosas.

Y así se puede entender lo que dijo el Maestro: "Tal como piensa el hombre en su corazón, así es él".

De lo expuesto se concluye que EL PRIMER CAMINO PARA EL MUNDO DIVINO ES EL PENSAMIENTO.

8. ¿Qué es la Conciencia?

Conciencia significa "con conocimiento". Accediendo mediante el pensamiento a la conciencia, llegamos a darnos cuenta. Con la Conciencia, el hombre se siente que es "YO" y "piensa porque es". Por ser "YO", pienso, y, porque pienso, adquiero la conciencia de mis pensamientos.

9. ¿Qué es la Inteligencia?

La Inteligencia es la facultad con la que se penetra para leer en el interior de las apariencias.

Por medio de la Inteligencia —que es como conciencia aplicada al pensamiento— el hombre llega a conocer la naturaleza de todas las cosas que caen bajo sus cinco sentidos y, así, por medio de esta facultad, ya podrá conocer las Leyes que gobiernan el Universo y, sobre todo, AQUELLAS QUE GOBIERNAN SU PROPIO MUNDO INTERNO, SU PROPIA VIDA INTIMA, FÍSICA, MENTAL Y ESPIRITUAL. Con la Inteligencia, el hombre se distingue del animal, porque con la Inteligencia ya puede usar la Voluntad, tanto como usar conscientemente la intención del Pensamiento, que es lo que le distingue de los seres inferiores en su escala.

10. ¿Qué es la Voluntad?

La Voluntad es la facultad de desear y de trabajar.

La Inteligencia guía nuestro ser para desear el bien y lo justo. La Voluntad nos impulsa a la acción. Estas dos facultades son gemelas y se complementan mutuamente.

Hay pensamientos superiores e inferiores, según la clase de deseos. Hay conciencia y subconciencia, pensamientos conscientes y pensamientos subconscientes. Hay inteligencia racional e inteligencia instintiva y, por lo tanto, voluntad racional y voluntad instintiva. Las primeras fases son las que constituyen nuestros deseos e impulsos, en común con los animales y seres inferiores, en tanto que las segundas son el resultado de la reflexión y de la determinación inteligente.

La marcha del Aprendiz, al avanzar el pie izquierdo, —con inteligencia, pensamiento y pasividad— debe corresponder a un avance igual del pie derecho —que es actividad, voluntad y acción— es decir, en total coincidencia con el primero.

11. ¿Qué es el Libre Albedrío?

Esta pregunta preocupó y sigue preocupando a la mente humana, desde las más remotas edades.

De la respuesta a esta incógnita depende la irresponsabilidad o responsabilidad del hombre y, por lo tanto, la utilidad de todo esfuerzo.

El verdadero masón debe solucionar este problema porque, si no fuese natural para el hombre tener libertad ni ser libre, no tendría razón para existir.

Ya se ha dicho antes que el hombre es tal como piensa en su corazón; así, pues, cada uno recibe el fruto de sus pensamientos y de sus acciones, de acuerdo con lo que hace y realiza consciente o inconscientemente.

En consecuencia, el libre arbitrio existe para el hombre en proporción a su desarrollo inteligentemente espiritual.

El hombre dominado por sus pasiones, no tiene la libertad individual que existe para el hombre virtuoso e iluminado. El hombre esclavo de sus pasiones es esclavo de los demás, mientras que el hombre liberado es el Rey del Mundo.

El Libre Albedrío es una realidad para el MAESTRO QUE CONOCE LA VERDAD, porque LA VERDAD LO

HACE LIBRE.

El Maestro ya dominó el instinto por la Inteligencia, las pasiones por la Razón o Inteligente Determinación, el Vicio por la Virtud, así como domina el fatalismo por la Libertad.

ESTE ES EL SIGNIFICADO DEL LIBRE ALBEDRÍO Y ESTE ES EL ÚNICO CAMINO QUE LE CONDUCE A ÉL.

Después de responder a las cinco preguntas precedentes, el Aprendiz tiene que hacer cinco viajes, para realizar, por su propio esfuerzo, el progreso deseado en la Senda de la Verdad.

12. ¿Quiénes somos?

Para poder emprender los cinco viajes o etapas del progreso en la Senda de la Verdad que otorga la Libertad, el Compañero debe todavía responder a la importantísima pregunta: ¿QUIÉNES SOMOS? En el Primer Grado respondió a la pregunta ¿DE DÓNDE VENIMOS? Ahora tiene que emplear sus cinco facultades para poder responder al nuevo interrogante.

Esta pregunta fue respondida por el profeta David y por el mismo DIVINO MAESTRO, cuando dijeron: "VOSOTROS SOIS DIOSES". De esta manera podemos contestar: "SOMOS DIOSES". Pero, por ser inconscientes de nuestra divinidad, se torna necesario que la Iniciación Interna nos abra la Inteligencia a la Luz de la Verdad.

13. EL PRIMER VIAJE es la primera etapa del adelanto o progreso. El Compañero lleva consigo, en este viaje, dos instrumentos: el **mazo** y el **cincel**. Estos dos instrumentos, destinados a desbastar la Piedra Bruta, representan las dos facultades gemelas en el hombre, que son la Voluntad y el Libre Albedrío. Fortaleciendo la Voluntad por medio del autosacrificio, se llega al Libre Albedrío. Dijo un mago: "**La Voluntad del hombre justo es la misma Voluntad de Dios**".

En el primer viaje, el Aprendiz, que ahora ya es Compañero, aprende cómo usar su Voluntad y su Determinación Inteligente, eliminando de ella, como de la piedra bruta, toda aspereza y las partes superfluas.

La Voluntad educada es el resultado de la Inteligencia Iluminada por el discernimiento del Real. Es la perfecta unión del Amor con la Sabiduría.

14. EL SEGUNDO VIAJE constituye para el Compañero, como una obligación para el progreso intelectual. En este viaje lleva consigo dos instrumentos simples para su objetivo: la **regla** y el **compás**. "Dios geometriza", dice el viejo Iniciado; de esta forma, debe el Compañero adiestrarse en Geometría, la que le da la Llave del Arte de la Construcción y así él se convierte en colaborador en el plano del G. A. D. U.

Con la regla y el compás se pueden construir todas las figuras geométricas, comenzando por la Línea Recta y el Círculo.

La regla nos traza la línea recta, o sea, el camino recto en la vida, que nos conduce a lo más justo, sabio y mejor y nos recuerda que nunca debemos desviarnos de nuestro ideal.

El círculo define el radio y el campo de acción de nuestras posibilidades.

La regla y el compás representan ARMONÍA Y EQUILIBRIO.

La regla traza la línea de conducta, que ata el presente y sus consecuencias con el futuro, unidos todavía la causa al efecto, el pasado al porvenir.

El compás traza con el círculo el alcance de nuestra línea de conducta en armonía con el infinito.

15. En el TERCER VIAJE el Compañero conserva la **regla** en su mano izquierda y toma una **palanca** que apoya con la mano derecha sobre el hombro del mismo lado.

Esta palanca representa las posibilidades que nos son ofrecidas, con el desarrollo de nuestra inteligencia y comprensión. La palanca, con sus dos extremidades características, representa POTENCIA Y RESISTENCIA.

La Potencia debe ser usada para regular y dominar la inercia de los instintos, levantándolos y moviéndolos, para obligarlos a trabajar en la construcción de nuestro templo individual. La palanca sirve como instrumento de la inteligencia, la cual determina, planea y ejecuta una acción particular, que expresa exteriormente el deseo íntimo del corazón.

La palanca es la FE que mueve montañas, según la expresión del Evangelio.

La palanca de la FE tiene dos extremidades: el Pensamiento y la Voluntad. El ideal noble del Pensamiento y de la Voluntad es el punto de apoyo para levantar el mundo con la Palanca de la Fe.

La regla, en el Tercer Viaje simboliza —como hemos explicado— la línea recta o el ideal noble. Sin la Regla, nuestra vida se torna un caos.

16. En el CUARTO VIAJE, el compañero seguirá con la **regla**, esta vez acompañada de la **escuadra**, que simboliza los propósitos según el ideal que lo inspira.

La escuadra es el símbolo del TAU egipcio, esto es, la unión del nivel con la plomada, por medio de los cuales se construye la base y se levanta el edificio.

La regla y la escuadra representan la medida perfecta de los materiales que usamos para la construcción, los cuales deben guardar proporcionalidad en sus tres dimensiones, de acuerdo con el lugar donde deban ser empleados, para que pueda existir la homogeneidad, estabilidad y armonía del TEMPLO.

La **Piedra Cúbica**, o sea, la Individualidad desenvuelta en todas sus fases, no sirve todavía para el edificio social. Lo que se necesita es la piedra en perfecta escuadra en sus seis fases. Debemos desarrollar y trabajar la piedra de nuestra personalidad con las seis facultades espirituales, que están representadas por los seis instrumentos que lleva el Compañero en sus viajes.

17. En el QUINTO VIAJE, el Compañero ya no necesita de ninguno de los seis instrumentos usados en los cuatro viajes anteriores. Esto demuestra el completo desarrollo de las facultades internas ya enumeradas.

Luego, en el Quinto Viaje, el Compañero va en dirección opuesta a la que siguió hasta ahora y con una espada dirigida contra su propio pecho.

La dirección opuesta a la de los cuatro viajes anteriores significa que, después de haber desarrollado las seis facultades principales en el mundo exterior u objetivo, está ahora obligado a penetrar en el mundo INTERNO, para buscar la séptima facultad, que es el PODER DEL VERBO, representado por la letra "G", que está escrita dentro de la Estrella Microcósmica. Una vez dominada la naturaleza inferior, por el adiestramiento de las facultades, es necesario emplear la actividad espiritual, a la cual ascenderá en los cinco grados de los cuales hablaremos más adelante.

El abandono de los cinco instrumentos demuestra el dominio de los cinco sentidos, representados por la Estrella de Cinco Puntas; pero, ahora, la Estrella irradia la Luz Interior, que no necesita de ninguna regla.

Ha llegado el momento en que el Iniciado debe abandonar las *reglas y enseñanzas*, que antes le fueron útiles, pero que ya no le sirven más en este momento, porque él ya se convirtió en el Templo o Canal del YO SOY DIOS EN ACCION EN ESTE CUERPO-TEMPLO. Y así oirá siempre la Voz Silenciosa Interna e irradiará LUZ en las tinieblas de la materia.

18. La RETROGRADACION del Quinto Viaje tiene, entonces, por objetivo, el volver de nuevo al MUNDO IN-

TERNO, al Paraíso de donde salimos, al Reino de Dios que está dentro de cada uno de nosotros. En los cuatro primeros viajes, el Compañero —tratando de dominar los espíritus de la naturaleza, como fue explicado en el Grado de Aprendiz— afirma, en el Quinto Viaje, el poder del Espíritu sobre los elementales.

Desde el momento en que el hombre comenzó a materializar sus pensamientos divinos *por la fuerza*, tuvo que ser arrojado del Jardín del Edén, porque, con la acumulación de sus deseos, creó el Intelecto y abandonó la Conciencia Impersonal Divina. Con la creación del Intelecto, formó un nuevo mundo en la parte inferior de su cuerpo, llamado infierno. Entonces comenzó a estudiar el bien y el mal, creyendo que, con este estudio intelectual, podría volver de nuevo al Paraíso.

Comenzó sus viajes en el mundo externo y, por fin, llegó un momento en que, cansado del uso externo de su mente, se retiró a su interior y, allí, encontró el verdadero camino para el Reino de Dios, prometido desde la formación de los siglos. Pero estos viajes a través de los Elementos de la Naturaleza, llenos de dificultades, sacrificios y dolores, como hemos visto, obligaron al hombre a pensar y meditar en la manera de vencer esos obstáculos y esto fue el principio de su Iniciación Interna, o el retroceso del Quinto Viaje.

Después, por medio de la Iniciación Interna, comprendió y sintió que el Fin es igual al Principio: el *estado edénico* era Impersonal; y así, el Reino de Dios debe ser Impersonal.

19. LA ESPADA CONTRA EL PROPIO PECHO: El Paraíso y el Mundo Interno son el Reino de Dios. Desde la Caída o desde que el Intelecto hizo que el hombre se creyese separado de Dios, el Intimo colocó el Angel de la Espada Flamígera en la Puerta del Edén, **justamente en la mitad de la espina dorsal**, de donde el hombre salió hacia el mundo externo.

Este ángel, llamado Angel de la Espada Flamígera, impide la invasión de la mente inferior en el Reino de Dios o Edén de la Biblia. Existe también otro ser llamado Angel Guardián. Ambos interceden por el hombre que desea vivamente el regreso a su morada edénica o Reino Interno.

Los dos ángeles serán los dos guías o vigilantes del hombre, hasta que él pueda abrir nuevamente la Puerta del Edén, de donde salió. Entonces, el Angel de la Espada entregará al Iniciado su arma, para defenderse del Fantasma del Umbral, entidad creada por las malas obras y pensamientos del hombre.

Con la Espada Flamígera, el Iniciado corta el nudo que impide la abertura de la Puerta.

Así es que, la espada contra el propio pecho, simboliza este misterio desconocido por todos. Es el ofrecimiento del Angel de la Puerta al Iniciado, el cual puede atravesar, con el pensamiento, el mundo de deseos o el mundo del alma, triunfante sobre todos los elementales inferiores.

Es una magnífica costumbre la de invocar a nuestro Angel de la Espada y Angel Guardián antes de adormecernos, porque el hombre, durante el sueño, viaja muy lejos de su cuerpo y es muy conveniente tener un Guardián para su Templo-Cuerpo.

20. A estos viajes se los ha llamado varias veces viajes mentales. Es indispensable explicar sumariamente estas enseñanzas.

Los viajes simbolizan el esfuerzo para dominar los espíritus de la Naturaleza, que son los cuatro elementales.

Estos cuatro elementales son emanación del Intimo y el pensamiento plasmado del hombre. Todos han trabajado por la formación del hombre y continúan trabajando. Los elementales o ángeles del aire trabajaron la mente del hombre o cuerpo mental; los del agua trabajaron y formaron el cuerpo de deseos; los de la tierra formaron su cuerpo vital y los del fuego formaron el mundo de las emociones y de los instintos. Todos esos cuatro cuerpos se interpenetran en el cuerpo humano para formar el hombre completo.

El hombre, crucificado sobre estos cuatro elementos por los cuatro elementales se ubican de la siguiente manera: los del aire, en torno de la cabeza y los pies; los del agua, en todo el lado derecho; los del fuego, en el pecho, y los de la tierra en el lado izquierdo del cuerpo, todos confundidos e interpenetrados.

Estos seres son muy amigos del hombre que piensa con justicia y se atreve a practicarla, cumple con la voluntad del Intimo y calla por no desear recompensa y fama. Conviértense, entonces, en servidores de los genios y artistas en general. Plasman sus características en las obras del hombre según la pureza de su pensamiento.

21. Domina y es servido por los ángeles del aire, aquel ser que dedica toda su fuerza de pensamiento al mundo interno. Con perfecta concentración puede llegar a los planos de la Vida Espiritual, donde alcanza la iluminación. Para dominar los elementales del cuerpo de deseos o del agua, tiene que extirpar sus pasiones groseras y llegar a la impersonalidad. Para dominar los ángeles de fuego, debe vencer sus instintos animales, emociones y todo lo que puede recordarle al animal. El dominio de los elementales de la tierra consiste en un ayuno racional, limpieza externa, respiración y las demás prácticas esotéricas.

22. Cuando el hombre se convierte en impersonal, como su madre, la Naturaleza, esta pone bajo sus órdenes sus elementos y elementales, que le descubren sus leyes, filosofía y ciencias de todas las épocas y edades. Los elementales superiores respetan y obedecen a todo hombre cuya concentración es perfecta. Ellos mismos lo convidan a que penetre en su reino para instruirlo en la sabiduría Superior, escrita en las etapas internas de su cuerpo físico; le muestran las divisiones y subdivisiones de su mundo interno y los habitantes de cada división. También le enseñan la manera de vencer las emanaciones de los átomos malignos, instruyéndole acerca de cómo distinguir las formas del pensamiento, las mudanzas del cuerpo y la mente con las estaciones y los años. Le enseñan las cuatro etapas de la vida, el movimiento interno del organismo humano y la relación de cada parte del cuerpo con los mundos y sistemas solares, la circulación de la sangre con el movimiento universal, la respiración con los períodos del universo, etc. (Léase el capítulo titulado "La Iniciación Egipcia y su relación con el hombre", en la primera parte de esta obra).

23. Cuando el hombre puede atravesar y traspasar con el pensamiento el cuerpo o mundo de deseos, llamado *astral*, triunfante sobre todos los elementales inferiores de este mundo, pasa a otro más sutil, cuyas fuerzas tienen relación íntima con el Espíritu de la Naturaleza. El cuerpo de deseos está elaborado en la región umbilical del hombre y se manifiesta en el *hígado*. El tercero, más sutil, tiene su puerta en el *bazo* y se manifiesta en el sistema simpático.

Quien llega a ese mundo por el pensamiento sostenido, está en comunicación permanente con las inteligencias angélicas, poseedoras de la memoria de la naturaleza, manifestada en el hombre por la intuición. Para él, no habrá pasado ni futuro.

24. Las religiones se valen de la magia ritual y simbólica, a fin de alcanzar ese mundo.

Los símbolos sagrados, como la cruz, el triángulo, el

círculo y el signo de Salomón son, en el mundo físico, teclas cuyos sonidos repercuten en el sistema simpático, donde el hombre recibe respuesta.

El significado de cada símbolo y número es interno y no como se lo explica exteriormente. Por ejemplo, la cruz no significa *muerte*, sino *triunfo sobre la materia*. También las fábulas encierran verdades profundas.

La meditación sobre un símbolo sagrado atrae a la mente los átomos sagrados de luz y sabiduría, así como en el sistema simpático es atraído por las vibraciones del santo.

Para cada cualidad y virtud hay un símbolo, así como existe una palabra y un número para cada una de ellas; pero hasta hoy no acuden a la mente más símbolos, porque no los aprendió ni comprendió su lección en los actualmente existentes.

25. El número TRES es la base del Grado de Aprendiz: el CINCO corresponde al de Compañero.

Los tres primeros viajes terminan cerca del Segundo Vigilante, símbolo del Angel Guardián, que está dentro del hombre, pero el cuarto y el quinto viajes conducen al Aspirante al Primer Vigilante o Angel de la Espada. Este le pide primero el **Toque** y, enseguida, la **Palabra** del Aprendiz

Esto significa que, antes de poder escalar nuevamente al Edén, de donde cayó, debe haber trabajado con fervor, siempre viajando con sufrimientos y practicando con provecho, durante tres años, a fin de que pueda ser digno de elevación.

La Columna del Norte representa el lado izquierdo, negativo o pasivo del hombre, cuya respiración es también pasiva en la fosa nasal izquierda, en tanto que el lado derecho, tanto como la respiración de la fosa nasal derecha, es positivo. En estos viajes, el Aspirante debe dejar la Columna del Norte, donde *reina la oscuridad*, para ingresar en la del Sur, donde *reina la Luz.*

Estando en este lado, tiene que subir cinco peldaños de la escalera, para poder llegar al Angel de la Espada, que vigila la puerta del Edén.

26. Estos Cinco Peldaños son las cinco etapas que el Aspirante necesita atravesar para llegar al Primer Vigilante. Dichos peldaños simbólicos representan el **Quinario en el Hombre**, del que hablaremos después, en un capítulo aparte. Por el momento, sólo podemos decir que son cinco las etapas recorridas, las cuales aluden a las cinco pruebas iniciáticas. El primer escalón representa el triunfo sobre el elemento de la tierra o la Prueba de la Tierra: el segundo corresponde a la Prueba del Aire: el tercero a la del Agua: el cuarto a la del Fuego, y el quinto es la Etapa del Triunfo, o el dominio del Espíritu sobre los cuatro elementos. Es la Estrella Microcósmica, la Estrella Flameante.

27. En el quinto escalón, el Aspirante adquiere la iluminación o la visión interna espiritual, y será un Vidente; se convierte en la Estrella Flameante. La LUZ del Intimo irradia de su corazón con toda claridad y guía sus pasos y los de su *prójimo*, en la senda del progreso y de la superación y, de esta manera, se convierte en SUPERHOMBRE. Esta Estrella es el símbolo del hombre perfecto, del hijo de Dios; tiene cinco puntas, que corresponden a los cuatro elementos y al Espíritu y que se simbolizan por los metales ordinarios o facultades inferiores y comunes del hombre: el plomo y su instinto, el estaño y su atracción vital, el cobre y sus deseos, el hierro y su dureza, a los cuales se une el Mercurio Filosófico de la Inteligencia Suprema, que a todos amalgama y **domina**.

Los **magos** eligieron el **Pentagrama** como símbolo del poder, ante el cual toda la naturaleza se inclina y obedece; porque el Hombre, el Pentagrama y la Estrella

Microcósmica, **con una sola punta dirigida para arriba**, **es la imagen de Dios**, que refleja la Verdad, la Sabiduría y el Amor, alejando, con su presencia, todos los demonios de los errores, de las pasiones, de los instintos y los prejuicios.

La Estrella Flameante, con su punta para arriba, representa al hombre espiritual, que dominó la naturaleza interior; en tanto que, si fuese invertida, esto es, con sus dos puntas para arriba, se torna el emblema de los magos negros, que procuran dominar por medio del error, del pecado y del sexo, dominando la cabeza invertida, dirigida al suelo. La Estrella de Luz es el hombre cuya cabeza está erguida hacia lo alto; la de las tinieblas es el hombre cuya cabeza está virada hacia el suelo, con los pies hacia lo alto; también está representada por un macho cabrío, dibujado sobre un pentagrama invertido.

28. La letra "**G**" está escrita dentro de la Estrella Flameante. Mas aquí cabe la pregunta: ¿Debe ser la letra **G** del alfabeto latino la que ocupa este puesto? La mente humana es muy fértil. Todos los diccionarios y manuales dan interpretaciones muy hermosas respecto de la letra G o la señal jeroglífica que figura dentro de la Estrella Flameante. De la letra G extrajeron: Generación, Geometría, Genio, Gnosis, Gravitación, Gracia, Gozo y, no sabemos por qué, olvidaron citar centenas de otros nombres y adjetivos grandiosos, que comienzan con la letra G.

Por esta vez, lamentamos no poder compartir la misma opinión de millares de masones, porque tuvimos que abrir y leer la Memoria de la Naturaleza.

29. Para que el Compañero Masón o el profano puedan comprender la verdad sobre la letra G dentro de la Estrella Microcósmica, deben releer nuestro primer libro: *Los Misterios del Grado de Aprendiz*, donde se habla sobre las cinco primeras letras, o entonces, a falta de este, debe leerse otra obra nuestra, llamada *La Magia del Verbo o el Poder de las Letras.*

En el supuesto de que no dispongan de ninguno de los dos libros, a continuación tocaremos ligeramente la materia:

La letra G dentro de la Estrella Flameante, es la tercera letra del alfabeto primitivo y expresa jeroglíficamente la mano semicerrada, como al coger algo y representa la **garganta**.

La garganta es el lugar donde se forma y toma cuerpo el **Verbo** o la **Palabra**, en ella concebida por medio de la **Mente**. Es el Verbo que se hace **Carne**, es el misterio de la Generación, en virtud de la cual el Espíritu se une a la carne y mediante la cual lo Divino se transforma en Humano. Es, en fin, el Hijo, la Humanidad, el Cosmos.

G significa el organismo en función. Representa el dinamismo viviente.

En el Plano Espiritual es el poder de Expresión. En el plano mental es la **Trinidad**, que representa lo Espiritual, lo Mental y lo Físico (objetos de estudio del Grado de Compañero).

En el Plano Material es la manifestación, la generación de los deseos, ideas y actos, que expresan el gozo del ejercicio de nuestros atributos. Vocalizar la letra G, tal como explicamos en nuestra obra *La Magia del Verbo*, promete la creación de ideas, producción de riquezas, abundancia y triunfo sobre los obstáculos.

La letra "**A**" es el principio activo (Padre); "**B**" es el pasivo (Madre); **G** es el principio Neutro (Hijo).

Esta es la letra G sagrada, de la Masonería Iniciática, de la cual, hasta ahora, no se habían descubierto sus múltiples simbolismos y significaciones emblemáticas.

Pero, esto sí, tenemos que aprender a pronunciar la letra G como lo hacen las criaturas, cuando están contentas.

La pronunciación de la G en las palabras "gárgara", y "garganta", surte el efecto real. La G nunca debe tener el sonido de la "J" en español. Debe siempre pronunciarse como en "**gue**".

30. Cada letra representa un número en el alfabeto semita, pero el alfabeto latino se alejó mucho de la regla, al ordenar sus letras de manera distinta a la primitiva; esto, tal vez, porque sus letras necesitan de ciertas voces, que manifiestan ciertos sonidos y, por eso, los latinos tuvieron que emplear dos letras para expresar un solo sonido. Entre estos casos están los de las letras "G", "C"; "U" con la "V"; "C" con la "K", aunque la letra "C" es una consonante que posee autonomía propia.

Resumiendo, la "G" en la Estrella Flameante, significa el **Verbo Creador** y el **Fuego Creador**.

31. Habiendo escalado las cinco gradas (y negociado con los cinco talentos, que le fueron dados para duplicarlos), el Compañero camina hasta llegar al ARA o al Altar del YO SOY DIOS EN ACCION, delante del cual debe doblar la rodilla izquierda. Lo Izquierdo es la pasividad, que recibe, en tanto que lo Derecho es la actividad que otorga y da. En esta posición, presta su juramento (o se compromete ante su Dios Intimo) a silenciar y a no revelar los secretos de la Orden, a ser fiel y leal; promete, además, hacer un constante esfuerzo para adquirir el saber, practicando la Verdad y la Virtud. Aun más, "**que se le arranque el corazón, destrozándolo y lanzándolo a los buitres**" si es perjuro o falta a su promesa.

El corazón es el Altar de Dios; es el símbolo de la Vida, cuyo objetivo es la evolución para la Divinidad. Este juramento que "el corazón sea arrancado" significa que, si el Compañero no cumple sus deberes y promesas, le es preferible dejar de vivir, a seguir viviendo sin utilidad alguna para la obra del G. A. D. U.

32. La **Consagración** viene después del juramento.

El Recipiendario continúa arrodillado; los hermanos forman con sus espadas, una bóveda de acero sobre su cabeza. (En Magia, esta bóveda de acero significa protección contra los elementales inferiores y, efectivamente, el Mago, con su espada, domina los elementales y les obliga a obedecerle).

El Maestro Venerable es el Mago, Rey Sacerdote que representa al YO SOY y comunica el poder al Recipiendario, por medio de los golpes de espada, de acuerdo con el Grado de Compañero.

Este poder debe ser recibido con una disposición interior especial, que es acompañada de un acto exterior, símbolo de esta actitud interior.

Estando consagrado de esta forma, el Angel de la Espada se dispone a entregar el arma flamígera al nuevo Aspirante a Maestro, al servicio de la Gran Obra de Construcción Universal.

33. El Delantal, que al Compañero se lo coloca de una manera diferente de como le es puesto al Aprendiz, significa el aislamiento que respecto del mundo externo han de tener sus órganos sexuales creadores, a fin de que su energía tome el camino del Mundo Interno y pueda el Aspirante alcanzar la Superación.

Puede tener otras interpretaciones, sin embargo, esta es la más acertada, puesto que el masón debe, antes de todo, edificar su Templo-Cuerpo, para que sea morada digna del Intimo. La solapa abierta triangular, dirigida hacia abajo, indica que Dios se hizo Hombre. La Estrella Flamígera, en la solapa, confirma la interpretación. Debajo de la solapa está la letra "G", entre dos espigas, lo que simboliza el **Poder del Verbo Creador** entre los dos polos de la **Energía Divina**, o las dos corrientes de la vida, que bajan por ambos lados de la columna vertebral y que, al unirse en el sacro, forman el tercer elemento divino que asciende por el cordón central a la cabeza, produciendo la iluminación.

34. LA MARCHA DEL GRADO consiste en que, después de dar los tres pasos de Aprendiz, aumenta otros dos, diferentes de los anteriores. Cinco pasos recuerdan cinco viajes, cinco golpes, cinco batidas de batería, así como la señal de reconocimiento. Los tres primeros pasos del Aprendiz simbolizan los tres primeros viajes o esfuerzos para la Superación. El cuarto paso se desvía hacia la región del Sur, en tanto que el quinto vuelve en línea recta sobre sus primeros esfuerzos.

35. EL TOQUE fue explicado en el Grado de Aprendiz. En el del Compañero se traduce por la expresión: "Quien más tiene, más debe dar".

36. LA SEÑAL. El poner la mano derecha sobre el corazón, órgano de Vida y Altar de Dios, significa "Prometo, como Dios Hombre o Hijo de Dios, y reafirmo mi promesa de cooperar en la obra del G. A. D. U.". La mano izquierda abierta y levantada forma la Estrella de Cinco Puntas, que es el símbolo del hombre triunfante en sus pruebas.

37. LA EXPRESION DE PASE ES "SABIL", que muchos intérpretes le dan, entre otros, el significado de "espiga", "verde", "esparcir", "proceder", significa "**La Senda**" o "**El Camino**". Creemos —y podemos inclusive afirmar, por ciertas razones— que este último significado es el más acertado. Sin embargo, las demás interpretaciones pueden considerarse como buenas para el paso del Primero al Segundo Grado.

El Recipiendario trazó un SHCBIL, un Camino, del cual no puede ni debe alejarse, porque es el Camino del Servicio y de la Superación.

38. LA PALABRA SAGRADA ES KUN. También tiene muchas interpretaciones, pero la única acertada es: "**Hágase**" o "**Sea**". Y Dios dijo: "**Kuni Fakanat**", esto es "Hágase y fue hecho". En otra parte dijo: "**Liakon Nour**", que significa "Que sea hecha la Luz, y la Luz fue hecha".

39. El Primer Grado de Aprendiz tiene por objeto descubrir el misterio de la pregunta: "¿De dónde venimos?". El Iniciado en el Primer Grado debía estudiar la **Unidad**, la **Dualidad** y la **Trinidad**, hasta reconocerlas. En el Segundo Grado de Compañero está obligado a buscar una respuesta satisfactoria a la segunda pregunta: "¿Quiénes somos?", estudiando los misterios de su propio ser en sus tres aspectos.

"**Conócete a ti mismo**" debe ser un trabajo individual en el que nadie le puede ayudar.

La respuesta a la pregunta "¿Quiénes somos?" obliga al Compañero a estudiar las leyes y misterios del **Cuaternario**, **Quinario** y **Senario**, para que esta respuesta sea verdadera y satisfactoria.

Comencemos a estudiar el Cuaternario. (Véase nuestra obra *Las Llaves del Reino Interno*).

Capítulo II

EL CUATERNARIO Y LA UNIDAD

40. El círculo representa el Absoluto Inmanifestado; simboliza el Espacio potencial sin dimensión. Es el Padre que, en sí, abarca el todo; el número dos, o Dualidad, es la Madre que determina la primera dimensión. Unido el Uno al Dos suman tres o la Trinidad, manifestación perfecta en el Hombre y en el Universo.

41. Sin embargo, para que los tres Primeros Principios puedan manifestar la Creación del Intimo Absoluto, del interior para el exterior, o toda manifestación objetiva, fue necesario que la Trinidad emanara de sí cuatro elementos o divinidades que componían la estructura material del mundo.

42. Esas cuatro divinidades emanadas de la Trinidad se llaman: Fuego, Aire, Agua y Tierra. Las vibraciones de la Trinidad en los cuatro elementos o divinidades —llamadas por la Biblia *Elohim*— forman y constituyen los electrones. Las combinaciones de esos electrones según número, peso y medida, forman la materia.

El Espíritu es la Fuerza que penetra la materia y en ella causa las vibraciones. El Espíritu es una parte de la Energía *Una.*

La Fuerza de la Vida es la otra parte de la misma energía que entra en el cuerpo en el instante de su nacimiento en el mundo físico.

43. Fuego, Aire, Agua y Tierra no son divinidades primarias, sino principios por los que se manifiesta la materia.

Las divinidades son solamente tres, pero los principios son cuatro.

De modo que podemos reunirlos en los siguientes

términos:

1. Creación Material, Unidad completa
2. Uno doble: Binario.
3. Una Trinidad o Divinidades.
4. Principios en una manifestación.

44. El número cuatro representa la separación aparente del hombre de su Dios, o el paso de un mundo a otro. Así como la célula, por el estímulo y movimiento, produce otra célula de su propia clase, así también todo cuanto existe debe ser doble en su naturaleza, uno y trino en su manifestación y cuádruple para su realización.

El Amor que une al Padre y la Madre generando el Hijo.

1 – 2 – 3 son manifestaciones invisibles; el 4, o los cuatro elementos, cristaliza la manifestación invisible en visible.

45. El número cuatro es la Cruz (+) de los elementos, sobre la cual el hombre está colocado. Debemos aquí recordar que el símbolo de la cruz no significa muerte; al contrario, es el símbolo de la Vida.

Los cuatro elementos representan, simbólicamente, los cuatro brazos de la cruz.

46. En el cuerpo del hombre, en forma de cruz, encontramos el elemento que corresponde al fuego en el pecho y el corazón que produce el calor vital; el aire, en los pies que mueven el organismo; el agua, en el lado derecho y en la función asimilativa del hígado; y la tierra, en el lado izquierdo y en los intestinos correspondientes a esa parte.

En la mano derecha está el Fuego que disuelve y, en la izquierda, el poder que coagula.

De modo que el reino del cuaternario es el Reino de la Naturaleza, construido por los cuatro elementos.

47. Las estaciones del año corresponden: la primavera, al aire; el verano, al fuego; el otoño, al agua, y el invierno, a la tierra. Toda materia se manifiesta en esos cuatro principios, sin embargo, las divinidades que los componen son tres en número y se llaman Divinidades Primarias.

48. Toda materia es reducible a Tres Divinidades Primarias que se expresan en y a través de los cuatro elementos, ese es el Génesis de la Biblia y de los ocultistas; naciendo el Fuego o respiración como calor del aire, condensándose los dos en agua y produciéndose en esta la tierra por efecto del fuego.

49. En el mundo moral se traduce así: "El fuego es la voluntad del ser que, unida al aire, que es el pensamiento, producen juntos el agua, emoción o deseo, generándose, por el deseo, la acción.

Jamás debe confundirse el elemento con el espíritu, así como no se debe confundir el cuerpo del hombre con el Espíritu del hombre; los elementos son cuerpos físicos de las entidades internas del aire, del fuego, del agua y de la tierra.

Cuando los elementos del fuego dominan al hombre, lo hacen violento y le dan el temperamento bilioso; los del aire lo tornan reflexivo e inteligente y le dotan de temperamento sanguíneo; los del agua lo hacen sensitivo e impresionable, otorgándole un temperamento linfático; los de la tierra lo hacen activo, constante y le dan temperamento nervioso.

50. Los elementos corresponden a las cualidades morales del hombre y están representados por los cuatro animales de la esfinge y los cuatro animales del Apocalipsis y la cuadratura del círculo, de los sabios.

Cuando el hombre, en el futuro, llegue a la Unión con su Intimo, podrá comprender el significado de los versículos 6, 7 y 8 del cuarto capítulo del Apocalipsis de San Juan que dice:

"Vers. 6 – Y a la vista del trono (cuerpo) había como un mar de vidrio, semejante al cristal (es la materia espiritualizada que se torna transparente) y, en medio del trono (cuerpo) y alrededor del trono, cuatro animales (los cuatro elementos) llenos de ojos adelante y atrás.

Vers. 7 – Y el primer animal, semejante a un león (el Espíritu del Fuego, el discernimiento espiritual, el poder de la Voluntad), y el segundo animal, semejante a un becerro (el Espíritu de la Tierra, la acción, la expresión de la voluntad) y el tercer animal que tiene el rostro como de hombre (el Espíritu del Agua, el sentimiento consciente de lo que hace) y el cuarto animal, semejante a un águila volando (el Espíritu del Aire, el pensamiento que está inteligentemente callado y silencioso).

Vers. 8 – Y los cuatro animales, cada cual tenía seis alas (los seis sentidos desarrollados completamente por la regeneración), y alrededor y dentro están llenos de ojos (completamente transparentes por el desarrollo) y no cesaban, día y noche, de decir: 'Santo, Santo, Santo es el Señor, Dios Omnipotente, lo que era, lo que es y lo que ha de venir'".

51. Esa es la cuadratura del círculo. Cuando el hombre domina los cuatro elementos inferiores que reinan actualmente en su cuerpo físico, manifiesta los cuatro principios superiores, cuyas vibraciones lo hacen volver al Círculo, a la Unidad, al *Yo Soy*.

52. El Círculo o Ciclo de la Vida es como la eclíptica y el año. Las cuatro estaciones y los cuatro elementos en la naturaleza tienen la correlación para demostrar la cuadratura del círculo o la expresión y adaptación de los cuatro en el ciclo de la vida.

53. Del Círculo emana un radio determinado, como elemento creador. De ese radio se manifiesta el segundo: el primero es sonido, el segundo es luz. El primero es la línea vertical y el segundo es la transversal u horizontal.

Ambos forman la perfecta expresión de la cuadratura que viene a ser la Cruz dentro del Círculo.

Los cuatro ángulos rectos o los cuatro brazos de la Cruz, como expresión tetrágona del hombre, deben encontrarse en el centro de la Cruz, donde reside el ser inteligente que puede medir la expresión circular en sus cuatro elementos. Ya dijimos en el capítulo anterior que, para dominar los elementos inferiores del agua, tenemos que extirpar las pasiones groseras y llegar a la impersonalidad. Para dominar los elementos del fuego, tenemos que vencer los instintos animales. El dominio de los elementos del aire consiste en la concentración perfecta: y el triunfo sobre los de la tierra se basa en un ayuno racional, en la limpieza interna y externa y, finalmente, en la respiración adecuada.

El Iniciado que triunfa sobre los cuatro elementos inferiores, encuentra la Ley Interna de la Cruz que es la Ley de la vida y del triunfo, la que, expresándose para afuera, puede manifestar los cuatro puntos del ciclo de la existencia.

54. Místicamente, la relación de *pi* 22/7 / 3,14159 con la que se mide la circunferencia por el diámetro, demuestra la creación y la realización. La trinidad, 3, a la que se junta una nueva unidad, de otro origen, pasa a ser el cuaternario (3 + 1 = 4); después, ese cuaternario, o la cruz, debe unirse a otra unidad para formar la estrella de cinco puntas: el Hombre (3 +1 = 4; 4 + 1 = 5), el hombre por su evolución tiene que llegar a 9, número perfecto de la humanidad; y así tenemos el número compuesto (3,14159).

55. La cruz dentro del círculo es la perfección individual realizada por la obediencia a la Ley Interior y que debe expresarse exteriormente en pensamientos, palabras y obras.

El triángulo representa el mundo Divino. La cruz representa la Naturaleza.

El Cuaternario, la Cruz y el cuadrado representan el Templo de Dios en el Hombre.

56. Aquellos que están familiarizados con la astrología pueden tomar cualquier hoja de horóscopo cuyo diagrama es cuadrado. En ese diagrama pueden ver el mismo Zodíaco, síntesis de las Influencias Cósmicas; puede representarse subdividiendo en triángulos el espacio comprendido entre dos cuadrados, formando el conjunto "la descripción de la celestial Jerusalén, o la nueva Jerusalén", que es el cuerpo del hombre objeto del Capítulo XXI del Apocalipsis de San Juan. Nos describe ese capítulo el futuro del Iniciado que triunfa en todas sus pruebas y llega a dominar su naturaleza inferior. Su cuerpo se transforma en la ciudad apocalíptica, llamada alegóricamente Jerusalén, la ciudad de la paz.

Una vez convertido el cuerpo en instrumento del Yo Soy, ya pasa a llamarse Jerusalén, la ciudad del Señor.

Veremos ahora cómo interpreta el Apocalíptico en el capítulo XXI.

57. *Vers. 9. Y vino uno de los siete ángeles que tiene los siete vasos llenos de las siete últimas plagas y me habló diciendo: Ven acá, yo te mostraré la esposa* (alma humana) *que tiene el cordero* (Cristo) *por esposo.*

Vers. 10. Y llevóme en espíritu a un monte alto (tope de la cabeza) *y me mostró la ciudad Santa* (cuerpo) *de Jerusalén, que descendía del cielo de la presencia de Dios.*

Vers. 11. Que tenía la claridad de Dios (porque no la oscurecían los instintos ni los deseos) *y su luminosidad era semejante a una piedra de jaspe* (esto es, era transparente) *a manera de cristal.*

Vers, 12. Y tenía un muro extenso y alto con doce puertas y las puertas, con ángeles; y los nombres escritos son los nombres de las doce tribus de los hijos de Israel.

El último versículo nos muestra con claridad que el

hombre es la imagen perfecta del Gran Arquitecto. Los signos zodiacales, según las mitologías y todas las escuelas herméticas, están ligados íntimamente a todos los misterios del alma humana.

Los signos son las doce grandes jerarquías creadoras que trabajan hasta hoy por medio de los doce ángeles en las doce puertas del cuerpo humano, llamadas por el Apocalíptico las doce tribus de los hijos de Israel. Las doce grandes jerarquías son las que activaron el trabajo de evolución en todos los períodos pasados y continuarán activándolo en el futuro.

Cada uno de los ángeles jerárquicos tienen su influencia en una parte o puerta del cuerpo físico, como veremos después.

Con el cuadro siguiente podemos dar una idea algo clara de las doce jerarquías creadoras y sus estados.

Las doce jerarquías son las emanaciones de los Siete Espíritus ante el Trono del Intimo. Así como en la octava musical hay doce semitonos que corresponden a los doce signos zodiacales, así también los siete son manifestación de la Trinidad y la Trinidad se manifiesta y yace en la Unidad con el Absoluto.

El hombre debe sus vehículos más elevados y el más bajo —desde el Espíritu Divino hasta el cuerpo denso— a las doce jerarquías, porque ellas, en cada período, desenvuelven algún nuevo aspecto del cuerpo denso durante los períodos cósmicos llamados: saturnino, solar, lunar y terrestre, y proseguirán ese desenvolvimiento en los sucesivos: de Júpiter, Venus y Vulcano, hasta que el hombre complete las 777 encarnaciones.

Las doce Grandes Jerarquías Creadoras
o Doce Signos Zodiacales

1. *Aries.* Representa el sacrificio. Emanó de sí, los

átomos cerebrales del Hombre Cósmico. Es el Padre, motor pensante, instinto e inteligencia.

2. *Tauro.* Representa la fecundidad del sacrificio; es la fuerza procreadora de la Naturaleza; es la Madre. Es la garganta del Gran Anciano de los Días; es la fecundidad y la fuerza del pensamiento silencioso, de todo lo que es amable y bueno.

Los diez restantes expresan la década que es llamada el Arbol de los Sephirot (emanaciones o Arbol de la Vida).

3. *Géminis.* Serafines. En el período lunar, despertaron el Ego en el hombre.

4. *Cáncer.* Querubines. En el período solar despertaron en el hombre el Espíritu de Vida.

5. *Leo.* Tronos. Señores de la llama; en el período de Saturno despertaron los gérmenes del cuerpo denso.

6. *Virgo.* Dominaciones. Señores de la Sabiduría. En el período solar dieron el cuerpo de vida o vital.

7. *Libra.* Potestades. Señores de la individualidad en el período lunar dieron el cuerpo de deseos

8. *Escorpión.* Virtudes. Señores de la forma. En el período terrestre se encargaron de la evolución del hombre.

9. *Sagitario.* Principados. Señores de la Mente. Trabajaron los Atomos Mentales Superiores.

10. *Capricornio.* Arcángeles. Modelan actualmente el cuerpo de deseos superior.

11. *Acuario.* Angeles. Los correspondientes al Instinto, el deseo de alimentarse, reproducirse, etcétera.

12. *Piscis.* Espíritus Virginales. Es el hombre actual que encierra en sí todos los anteriores. Es el camino de la evolución o de la ascensión.

Estas doce jerarquías tuvieron que abrir en el cuerpo humano doce puertas para poder operar en él y son las siguientes:

Dos orejas
Dos ojos
Dos narices
Una boca
Dos mamarias
Un ombligo
Un órgano de excreción
Un órgano de generación.

Según la Astrología, Aries domina la cabeza. Tauro la garganta y el cuello; Géminis, los pulmones y los brazos; Cáncer, el estómago; Leo, el corazón; Virgo, los intestinos; Libra, los riñones: Escorpio, los órganos sexuales; Sagitario, las caderas y los músculos; Capricornio, las rodillas; Acuario, los tobillos, y Piscis domina los pies.

Esas doce jerarquías están encerradas en el Hombre Celestial o ciudad santa y corresponden a las doce facultades, lóbulos o centros cerebrales, y se comparan a los hijos de Jacob, que son los siguientes:

Rubén	Percepción	Acuario
Simeón	Conocimiento	Piscis
Leví	Asociación	Géminis
Judá	Oración y Fe	Leo
Dan	Juicio	Libra
Neptalí	Egoísmo	Capricornio
Gad	Memoria	Escorpio
Asher	Voluntad	Virgo
Isachar	Amor y Odio	Tauro
Zebulión	Fecundidad	Cáncer
José	Simpatía	Sagitario
Benjamín	Poder en la Aflicción	Aries

Vers. 13. Por el Oriente tenía tres puertas; por el Septentrión, tres puertas; por el Sur, tres puertas, y tres puertas por el Occidente.

Vers. 14. Y el muro de la ciudad tenía doce fundamentos y, en esos doce, los números de los doce Apóstoles del Cordero. (También esos símbolos están representados en los doce discípulos de Jesús).

El Espíritu dispone de doce facultades o centros de acción, con doce ángeles o entidades atómicas que presiden esos centros.

Cuando el Iniciado (ejemplo: Jesús) adquiere la perfección espiritual, de hecho comienza a desarrollar poderes de mayor amplitud, enviando su pensamiento, aspiración y respiración a los centros ocultos de su organismo para despertarlos y saturarlos de energía.

Esos centros comienzan por orden del pensamiento y de la voluntad manifestados por la palabra, a exteriorizar y plasmar la Voluntad de su *Yo Soy*.

La segunda venida simbólica del Cristo significa que, cuando el Espíritu Crístico resucita en el hombre, puede despertar sus doce centros, regenera la subconciencia y la convierte en Superconsciencia (que es la Segunda Venida de Cristo).

En la revelación de San Juan vemos la Jerusalén Celestial, que es el cuerpo físico del hombre cuya alma perfecta, esposa o Luz de Dios, que ilumina la Ciudad Cuadrangular, que tiene doce cimientos y cuatro murallas con tres puertas en cada muralla.

Doce ángeles son los obreros del Espíritu dentro del hombre y cada ángel preside una función y trabaja por medio de agregados de células llamadas centros ganglionares o glándulas endocrinas.

El gran centro de todo ese sistema está en el tope de la cabeza, donde se manifiesta y reina el *Yo Soy*. Es la montaña de todos los profetas, a donde iban a adorar, en retiro, para llegar a la Unión con Dios Intimo.

De manera que los doce Apóstoles simbolizan las doce Jerarquías que gobiernan los doce centros del Sistema

Simpático para manifestación de Cristo en la Segunda Venida y son los siguientes:

Pedro	Fe	Centro del cerebro	Pineal
Andrés	Fortaleza	Los riñones	Suprarrenal
Santiago	Buen Juicio	El estómago	Páncreas
Juan	Amor	Centro cardíaco posterior	Timo
Felipe	Poder	Raíz de la lengua	Tiroides
Bartolomé	Imaginación	Entrecejo	Pituitaria
Tomás	Sabiduría	Centro frontal derecho	Apéndice Sacro
Mateo	Voluntad	Centro frontal izquierdo	
Santiago (Alfeo)	Orden	Ombligo	
Judas Tadeo	Eliminación	Base de la espina dorsal	
Simón Cananeo	Celo	Parte posterior del cerebro	
Judas Iscariote	Vida	Glándulas sexuales	

La Fe produce Fuerza y la Fuerza reacciona en Fe. El Amor sin acierto es desastroso y ambos juntos producen la adquisición de riqueza. La imaginación crea y el poder se expresa imaginativamente.

La Sabiduría y la Voluntad marchan siempre unidas; el Orden y el Celo caminan con la Reproducción Humana y la Reproducción Materna lleva consigo el Cielo.

Ni la colocación ni los nombres de esas facultades son arbitrarios. A su vez, esas facultades se dividen y subdividen a medida que se desenvuelven. Así, el Orden, colocado en la raíz de la lengua, gobierna el gusto, regula la acción del hombre. El Orden se subdivide en Armonía, Paz y Gozo. La Fe comprende la Confianza. La Fortaleza abarca el Vigor, la Resistencia y la Energía. La

Imaginación y la Visualización se complementan. El Acierto significa también Justicia, justa apreciación de los hechos y de los hombres, justo uso, Juzgamiento acertado. El Celo lleva consigo el Entusiasmo y en su extremo, se torna Fanatismo religioso o político. La Vida cubre la Reproducción y la Salud. La Eliminación se refiere a las toxinas; a la digestión y la purificación de todo pensamiento o emoción negativos.

Cada uno de esos centros puede y debe desenvolverse por medio de afirmaciones y negaciones, por la aspiración, respiración y meditación o —si ya se alcanzó la comprensión completa de la Individualidad y de la Unidad Cósmica— por medio de la Comunión con el Infinito. Cuando el Bautismo de la palabra baña un Centro, este desenvuelve la Voluntad, el Acuerdo, la Imaginación, la Salud, la Prosperidad, el Poder, el Vigor, la Armonía, la Fe, la Paz. Y las células se electrifican, se vitalizan y renuevan en el caso de que en ellas se concentre el pensamiento, si les hablamos, especialmente cuando estén en reposo la mente consciente y el cuerpo.

Dice la Medicina que sólo la mitad de nuestras células está constantemente en actividad, despierta, vibrante, electrificada y que la otra mitad duerme. Es el Poder el que puede despertar, hacer vibrar, comunicar nuestra vida a todas las células de nuestro organismo. Los que ignoran esos métodos llaman milagros a los resultados que se obtienen.

Ahora, el objetivo es mantener el equilibrio de todas nuestras facultades, desarrollando aquellas que hallamos débiles y moderando las que tengan un crecimiento excesivo perjudicial. Todas deben ser presididas armónicamente por el Cristo, el *Yo Soy*, cuya manifestación está situada en el tope de la cabeza, donde la personalidad del Hombre comulga serena, confiada y tranquilamente con el Infinito.

Vers.15. Y el que hablaba conmigo tenía una medida de una vara de oro (espina dorsal) *para medir la Ciudad, sus puertas y el muro.*

Vers.16. Y la Ciudad es cuadrada, y su largo, su ancho y su altura son iguales. (Vuelve San Juan al cuerpo del hombre que, estando de brazos abiertos, en forma de cruz, mide lo mismo de largo que de alto).

Vers.17. Y midió el muro y tenía ciento cuarenta y cuatro codos (1+4+4 = 9, que es el número de la Humanidad) *de medida de hombre, que era la del ángel.*

Vers.18. Y el material de ese muro era jaspe (todo armonía), *mas la Ciudad era de oro puro* (todo espiritualizado) *semejante a un vidrio limpio* (todo transparente y sin mancha).

Vers.19. Y los fundamentos del muro de la Ciudad estaban adornados de toda clase de piedras preciosas (aquí nombra las piedras preciosas que corresponden a los doce signos del zodíaco, tema tan discutido en la actualidad).

Según la filosofía hermética, la Mónada o Espíritu dimanante de Dios, antes de llegar al reino humano, ha de pasar por los tres reinos elementales, mineral, vegetal y animal, durante una cadena planetaria en cada uno de esos reinos. De modo que la Mónada hoy residente en el reino mineral de la actual cadena planetaria no llegará al reino humano antes de la séptima y última cadena planetaria del universo regido por nuestro Logos. Pues bien, esas Mónadas residen en las piedras preciosas que, por su aspecto y constitución, la filosofía esotérica considera que son los seres superiores del Reino Mineral, así como el hombre es el ser superior del Reino Animal. Por tanto, toda Mónada evolucionada reside en una piedra preciosa y como el hombre es el ser más perfecto que haya pasado por ese reino, forzosamente tiene en sí de todo el reino mineral, esto es, la simiente espiritual de ese reino. San Juan atribuye a cada signo una piedra preciosa, esto es, el que puede operar cada ángel en la materia. Cuando el hombre llega a la perfección deseada, hace que uno de sus centros indicados brille e irradie un color muy semejante al de una de las piedras preciosas, que están enumeradas, de la siguiente manera: el primer fundamento era el jaspe; el segundo, el zafiro; el tercero, calcedonia; el cuarto, esmeralda.

Vers. 20. El quinto, sardónice; el sexto, sardio, el séptimo, crisolita; el octavo, berilio; noveno, topacio; el décimo, crisopraso; el undécimo, jacinto; el duodécimo, amatista. [1]

Todas esas piedras, según la Cábala, poseen sus virtudes; por ejemplo, la esmeralda es custodia de la castidad; amatista preserva de la embriaguez y de la vanidad, etc. Creemos que con esas explicaciones ya podemos comprender el significado de los centros y su relación con las piedras preciosas que corresponden a las virtudes y poderes del Espíritu en el cuerpo del hombre.

Vers. 21. Y las doce puertas son doce margaritas (así como las margaritas, tienen varios pétalos, cada centro irradia varios rayos y cada rayo representa una virtud), *una en cada una; cada puerta era de una margarita; y la plaza de la ciudad, oro puro como vidrio transparente.*

Vers. 22. Y no vi en ella templo alguno, porque el Señor Dios Todopoderoso es el templo de ella y el Cordero (porque el hombre futuro estará identificado con el *Yo Universal*).

Vers. 23. Y la ciudad no requiere de sol ni luna que la iluminen, porque la claridad de Dios la iluminó y su lámpara es el Cordero.

Vers. 24. Y andará la gente en su luz y los reyes de la tierra le llevarán su gloria y honra.

Vers. 25. Y sus puertas no se cerrarán de día porque no habrá noche allí.

Vers. 26. Y le llevarán la gloria y la honra de las naciones.

Vers. 27. En ella no entrará cosa alguna contaminada, ni que cometa abominación y mentira, sino apenas los que están inscritos en el libro de la vida del Cordero. (Porque, entonces, el hombre estará puro en pensamiento, palabra y obra).

58. Ese es el futuro del hombre evolucionado, el hombre que, por medio de la aspiración, respiración y meditación puras y perfectas, llega a la unión con el *Yo Soy* íntimo.

El estudio del cuadrado nos conduce al estudio de la Ciudad Santa. El cuadrado siempre fue la perfecta imagen del templo perfecto y de la Cruz.

Estudiamos la cuadratura del círculo y cuando la cruz comienza a girar, quiere decir, cuando el reino de la Naturaleza llega a la evolución completa, el cuadrado y la cruz giran alrededor del centro y forman nuevamente el Círculo o, lo que equivale a decir, vuelven a la perfecta unión con el Absoluto.

59. Antes de finalizar este capítulo, desearíamos refrescar la memoria del aspirante en lo relativo a la práctica y desarrollo de los centros, que consisten en lo siguiente:

Concentrar y visualizar la virtud o poder del centro que se desea desarrollar. Supongamos que el centro deseado sea el cerebro, la fuente de la Fe. Al concentrar en la glándula pineal y al visualizar el poder y el efecto de la fe, la sangre fluye a ese centro y comienza a desarrollarlo.

Después de la concentración tenemos que despertar el deseo ardiente de poseer ese poder y evitar matarlo con la duda; no obstante, en caso de que la duda nos invada, podemos repelerla con una frase: **Yo y El somos uno**.

Después se inhalan por la nariz izquierda (recuérdese siempre que la inhalación por la izquierda es receptiva) los átomos de la fe durante ocho palpitaciones del corazón; reténgase el aliento durante cuatro pulsaciones; exhalar durante ocho y, con el pensamiento, enviar los átomos aspirados a aquel centro. Durante la retención que debe durar por cuatro pulsaciones, se puede formular una oración corta, como "Gracias, Padre mío", o "Padre, confío en ti".

Terminada esa respiración se puede recomenzar, pero esta vez principiando por la derecha, como se indicó en el método yoguístico, en la Primera Parte.

Después se deben practicar las siete inspiraciones por ambas fosas nasales.

60. Después del ejercicio podemos continuar formulando nuestras afirmaciones positivas, creyendo en lo que visualizamos, negando con énfasis la duda y el miedo.

Día llegará en que el hombre, apartándose de todo templo y entrando dentro de sí, allí se hallará con el Padre y el Padre lo oirá en el silencio.

[1] Los nombres citados son los arcaicos que figuran en el Nuevo Testamento y, en el lenguaje moderno, sardónice, sardio, crisopraso corresponden a variedades de ágata; crisolita es el topacio amarillo y jacinto es el rubí.

(Nota del traductor)

Capítulo III

EL QUINARIO Y LA UNIDAD

61. El cuaternario y los cuatro elementos son, como ya dijimos, los principios por los cuales se manifiesta la materia.

También ya se dijo: todo cuanto existe debe ser de Naturaleza doble, trino en su manifestación y cuádruple para la realización. Pero, si el cuaternario no se uniese al quinto que es la vida, toda materialización moriría, de modo que es necesario unir una quinta esencia a los cuatro elementos para darles vida y movimiento.

62. Esa Quinta Esencia o el quinario representa la aspiración, el aliento que mantiene la vida en lo creado; de ahí la idea de que todo lo animado se mantiene por efecto del hálito.

El propio ser se manifiesta por el aliento que da acción a la vida.

De modo que el aliento o respiración es el medio que une al Espíritu Divino al cuerpo material, así como el hombre une Dios con la Naturaleza.

63. El hombre es quinario; cuatro elementos y un Espíritu que, por su aliento, vivifica los cuatro.

1°. La idea de la vida, de la animación.

2°. La idea del Ser.

3°. La idea de la unión del Espíritu al cuerpo.

64. El aliento —respiración— representa la penetración del poder Creador a través del mundo divino, del mundo intelectual y del mundo material.

65. La respiración es dual: a la derecha está la ley; a la izquierda está la libertad.

66. El año, respiración del Sol, tiene cuatro estaciones: la respiración tiene cuatro pulsaciones que corresponden a las estaciones del año.

Primera pulsación – inhalación – otoño
Segunda pulsación – descanso – invierno
Tercera pulsación – exhalación – primavera
Cuarta pulsación – descanso – verano.

67. El hombre, igual al Universo, tiene dos medidas dentro del cuerpo: 72 pulsaciones del corazón por minuto y 18 respiraciones por minuto.

En un día de 24 horas hay 1440 minutos. Las respiraciones del hombre en un día, o en 1440 minutos, a razón de 18 respiraciones por minuto son igualmente: 1440 x 18 = 25.920. Día cósmico del Sol.

Si dividimos el número 25920 por 72 tenemos 360, que es igual al valor de la circunferencia en grados.

Poniendo a prueba los dos números, 72 y 18 en diversas direcciones, tenemos lo siguiente:

a) 360 x 72 respiraciones = 25.920 respiraciones, igual a un día.

b) 360 x 360 x 72 respiraciones es igual a 360 días o grados de un año.

c) 360 x 360 x 72 x 72 respiraciones es igual a 72 años.

d) 360 x 72 x 72 es igual a una precesión.

Entre tanto, los 360 son el valor de los grados de la circunferencia y no los días del año, de modo que nos faltan 5 días para el año. Pero, al calcular los cinco días restantes, tenemos:

5 días = 5 x 72 = 360. Estos 360 son iguales a 360 respiraciones.

Los verdaderos valores del cuádruple grupo anterior son:

1. 360 x 72 respiraciones, igual a 1 día
2. 360 x 360 x 72 pulsaciones
   360 x 360 x 1 respiración = 1 año
3. 360 x 360 x 72 pulsaciones

360 x 360 x 72 respiraciones = 72 años

4. 360 x 360 x 72 x72 x 360 = 72 pulsaciones
   360 x 360 x 72 x 360 x 72 respiraciones
   = 1 precesión

68. El cuarto de día restante para el año completo daría los mismos valores, como veremos después.

Para representar el carácter de los valores cíclicos bastan las respiraciones de los 5 días restantes.

1) 1 día es igual a 360 x 72 respiraciones
2) 1 año es igual a 360 x (72 x 1) respiraciones
3) 72 años son iguales a 360^2 x (72^2 x 72) respiraciones
4) 1 precesión es igual a 36 (3 x [72^3 = 72^3] respiraciones

69. En cada 72 años esos 5 días restantes forman exactamente un año de 360 días y tenemos, en cada 72 años de 365 días, 73 años de 360 días.

Entonces tenemos: en 72 años, o 360 actos del círculo de precesión, se traslada un grado en el zodíaco, el punto primaveral del sol equinoccial (0° de Aries) y, precisamente ese grado es el caracterizado por 72 años de 360 días que cae siempre en cada 72 años de 365 días.

El número 72 años es el símbolo de la vida humana; el grado de precesión, o los 72 años, es el símbolo del hombre según los hindúes.

De esta manera:

1 día es igual a 25.920 respiraciones.

1 año es igual a 25.920 por 10 minutos dobles o 360 respiraciones.

72 años es igual a 25.920 días.

1 precesión es igual a 25.920 años.

70. El hombre promedio, normal, siente latir el corazón 72 veces por minuto, al paso que respira 18 veces en el mismo tiempo. Pulso y respiración están en la proporción de 1:4. Y un minuto se halla en la misma relación que los valores de la rotación diaria de la tierra; 360 grados necesitan 1440 minutos; un grado, por tanto, es igual a 4 minutos.

Los valores del grado están en proporción a los minutos como 1:4, como la proporción de pulso a respiración.

Con esto puede comprobarse la relación íntima y misteriosa que existe entre los ritmos del hombre y los ciclos cósmicos que se complementan mutuamente.

Cuando un hombre desobedece los valores rítmicos, forzosamente tiene que sufrir las consecuencias de su desobediencia.

71. Ahora podemos continuar:

72 pulsaciones son iguales a 1 minuto.

72 x 360 pulsaciones son iguales a 360 minutos, iguales a la cuarta parte del día que nos faltó para completar un año.

Un cuarto de día (360 minutos) x 72 es igual a 18 días, análogo a la cantidad de respiraciones.

1 grado (4 minutos) corresponde a 72 respiraciones y tenemos:

1) 72 pulsaciones (valor del minuto) = símbolo de la Vida.

2) 12 respiraciones (valor del grado) = símbolo de la Vida.

3) 72 años = símbolo de la Vida.

72. Los antiguos contaban por horas y minutos de duración doble, y por eso, el día tenía apenas doce horas o 720 minutos.

1 minuto doble = 144 pulsaciones; 1 día = 1440 minutos.

1 minuto doble = 360 respiraciones; 1 día = 360 grados.

1 grado = 72 respiraciones; 1 día = 720 minutos dobles.

1 minuto = 72 pulsaciones; 1 día = 720 minutos dobles.

La filosofía hindú medía el tiempo por *Tatvas*.

1 tatva = 432 respiraciones; 1 hora = 4320 pulsaciones, el número sagrado de Blavatsky.

1 tatva = 6 grados; 1 día = 60 tatvas.

1 tatva = 12 minutos dobles.

1 grado = 120 segundos dobles.

73. Los antiguos filósofos hindúes formaron sus cronologías con los dos factores: 72 pulsaciones y 18 respiraciones del hombre por minuto. No cabe entrar aquí en minucias, pero podemos resumir lo siguiente:

Krita-Yuga	4 x 72 = 288 grados = pulsación en 4 minutos
Treta-Yuga	3 x 72 = 216 grados = 120 avos (10 x 20 de la presión)
Dvapara-Yuga	2 x 72 = 144 grados = pulsaciones de un minuto doble
Kali-Yuga	72 grados = número clave para todos los ciclos.

En síntesis:

1)	1 día	= 360 x 72 respiraciones
	1 año	= 360 x 360 x 72 respiraciones
	72 años	= 360 x 360 x 72 x 72 respiraciones
	Precesión	= 360 x 360 x 360 x 72 x 72 x 72 respiraciones
2)	1 día	= 360 grados
	1 año	= 360 x 360 grados
	72 años	= 360 x 360 x 72 grados
	Precesión	= 360 x 360 x 360 x 72 x 72 grados
3)	7 días	= 360 x 4 minutos
	1 año	= 360 x 360 x 4 minutos
	72 años	= 360 x 360 x 72 x 4 minutos
	Precesión	= 360 x 360 x 360 x 72 x 72 x 4 minutos
4)	1 día	= 360 x 72 x 4 pulsaciones

1 año = 360 x 360 x 72 x 4 pulsaciones
72 años = 360 x 360 x 72 x 72 x 4 pulsaciones
Precesión = 360 x 360 x 360 x 72 x 72 x 72
x 4 pulsaciones

El grado es la unidad; el minuto es el cuádruplo; la respiración son los 72 avos de la unidad; la pulsación es el cuádruplo de los 72 avos.

74. El aliento de la Vida, llamado *Prana*, se manifiesta en cinco elementos tatvas cada uno de los cuales actúa en una parte del cuerpo humano y son:

1° Prithivi – la tierra, que influye desde los pies a las rodillas.

2° Apas – el agua, que influye desde las rodillas hasta el ano.

3° Tejas – el fuego, que influye desde el ano hasta el corazón.

4° Vayu – el aire, que influye desde el corazón hasta el entrecejo.

5° Akash – el éter, que influye desde el entrecejo hasta lo alto de la cabeza.

75. Esos cinco elementos se relacionan con los cinco sentidos:

1° El olfato se relaciona con lo sólido (Tierra).
2° El gusto se relaciona con lo líquido (Agua).
3° La vista se relaciona con lo gaseoso (Fuego).
4° El tacto se relaciona con lo aéreo (Aire).
5° El oído se relaciona con lo etéreo (Eter).

76. Cada hora de respiración está integrada por cinco ciclos durante los cuales ejerce su influencia uno de esos elementos:

1° La tierra, durante 20 minutos.
2° El agua, durante 16 minutos.
3° El fuego, durante 12 minutos.
5° El aire, durante 8 minutos.

77. Durante cada ciclo respiratorio, nuestras correspondencias orgánicas y mentales vibran según el impulso de la clase de energía que prevalece en ese tiempo y determina un estado de ánimo correspondiente:

1° El éter nos hace emotivos (inspirados).

2° El fuego nos hace ardientes y fogosos (apasionados).

3° El aire nos torna inquietos (impetuosos).

4° El agua nos hace dóciles (tiernos).

5° La tierra nos hace egoístas (ambiciosos).

78. En cada momento fluye la respiración por una fosa nasal, formando doce ciclos de dos horas (una positiva y otra negativa), que corresponden al paso de cada signo del zodíaco por el meridiano que habitamos. Si sabemos el instante en que ocupa cada signo nuestro meridiano, podemos saber el elemento que rige nuestra respiración y la parte del cuerpo que alcanza. Una tabla de la hora sideral y signo que ocupa el meridiano permite al aspirante hacer ejercicios respiratorios para activar las funciones que le interesan.

El sol, durante 12 horas del día, actúa positivamente en la respiración, dándonos el positivo; la luna, durante las 12 horas de la noche emite efluvios negativos del signo en que está.

79. El Iniciado no es un ser desocupado y perezoso, y no puede dedicar todo su día estudiar las tablas de los signos y horas siderales para practicar ejercicios. El Iniciado es un ser que domina las estrellas por medio de sus pensamientos positivos y absorbe, a voluntad, la energía atómica que necesita cada instante y en cualquier lugar.

Formó, pues, el Señor Dios el hombre del barro de la tierra y le sopló en las fosas nasales el soplo de la vida y fue hecho el hombre de alma viviente. El soplo de vida que animó a Adán le fue dado por las fosas nasales, esto es, en el acto de respirar. El hombre aspira el soplo de Dios.

El aire que respiramos está lleno de átomos negativos y positivos creados por nuestros pensamientos desde la formación del mundo y, al ser desprovistos, por la naturaleza de nuestros pensamientos, de una clase de ellos, la otra llega a nuestros pulmones con exceso de potencial en una de sus fases.

El exceso será negativo o positivo conforme sea el pensamiento y según la fosa nasal por donde penetre. La sangre se impregna de ese potencial, que distribuye por todo el organismo, ocasionando las consiguientes reacciones.

Cada respiración purifica dos litros de sangre u 800 litros por hora y más de 20.000 litros por día.

Conforme sea el pensamiento, impregna ese caudaloso flujo de sangre, células, glándulas, neuronas, hormonas, centros psíquicos, etc. y modela nuestro ser físico, mental y espiritual y nos hace sentir, pensar y actuar según la voluntad de los átomos atraídos por la clase de los pensamientos concebidos durante la respiración.

80. La respiración simultánea es la que fluye por ambas fosas nasales al mismo tiempo. En el hombre normal ocurre en los períodos en que se muda el flujo, unos cinco minutos. Durante ese período trabajan los dos nervios y están activos simultáneamente el Pingala y el Ida (derecho e izquierdo) lo que ocasiona el trabajo de Sushumna (medio o central).

Durante la respiración simultánea, se equilibra el poder del hombre, pero también ocurre la desubicación del mayor esfuerzo. Así, los arrebatos de pasión, los actos impulsivos, los grandes hechos, etc. son ejecutados durante la respiración simultánea: siempre y cuando sea inmediatamente después de haber estado activa la fosa nasal derecha. Al contrario, los actos de rencor, de desenfreno, de envidia y bajas pasiones también suceden durante esa respiración, mas solamente después de haber estado activa la fosa nasal izquierda.

81. "Vigilad y orad para que no entréis en tentación" dijo Jesús. En todos los casos, el flujo simultáneo intensifica la emoción predominante e induce a la persona a perder el dominio de las facultades. Ella siente, piensa y actúa de modo más violento que durante el flujo por una de las fosas nasales. Cuando el hombre vela y ora, mantiene sus pensamientos siempre puros, regula la distribución del *Prana* o aliento de vida en los órganos de procreación física o intelectual, haciéndole descender, unas veces, al centro sexual y, otras, subir al plexo solar y cerebro de acuerdo con la idea que predomina en cada instante. En la respiración simultánea, la Serpiente de Fuego vibra con mayor fuerza y dirige su poder en la dirección donde tiene su concentración el pensamiento Esa dirección de energía puede determinar:

1° La inspiración mental sube al cerebro.

2° La furia sexual baja a los órganos sexuales.

3° La potencia física se acumula en el plexo solar.

82. Esa respiración en el hombre ordinario ocasiona el exceso que conduce a extremos peligrosos; no así en el Iniciado, en el mundo interno, produce el equilibrio de la Ley.

El Iniciado que siempre busca el equilibrio, por el amor personal, por el sacrificio, durante la mayor parte de su vida realiza la respiración simultánea para mayor eficacia y mejor cumplimiento de la Ley.

83. El aliento, origen de la vida, se manifiesta en cinco principios elementales, conocidos por la filosofía yoguista con el nombre de *Tatvas*. Esos Tatvas son fuerzas naturales, sutiles, que podemos considerar como modificaciones en la vibración del éter.

Cada una de esas modificaciones actúa en uno de los cinco sentidos del hombre. Así, el Sol corresponde al *Tatva Tejas* o fuego, e influye en los ojos y en la visión: la

Luna influye en *Apas*, agua que se aplica al gusto; y así cada elemento tiene su influencia en cada tatva: *Prithvi*, la tierra, rige el olfato; *Akash*, éter, el oído, su concentración; *Vayu*, el aire, el tacto y el lenguaje.

Dicen los *Upanishads*: "El Universo está originado en los Tatvas, sostenido por los Tatvas y en los Tatvas se disuelve". Nosotros podemos decir que el hombre es hijo de sus sentidos; vive por los sentidos; por los sentidos se sustenta y por ellos muere.

Esos Tatvas son como principios cósmicos energéticos y vitales; en cuanto producen materia, la animan con su energía. Reflejan, en los sentidos, con las diferentes funciones orgánicas y regulan las manifestaciones en todos los aspectos.

84. El tacto pertenece al cuerpo físico; el gusto, a los instintos; el olfato, al cuerpo de deseos; el oído, al mental, y la vista, a la voluntad.

Los cinco sentidos son expresiones del quinario con las cinco funciones vegetativas (respiración, digestión, circulación, excreción y reproducción). El quinario es el número que preside todas las manifestaciones de la vida animal del hombre sobre el dominio del *Yo Soy*.

85. Los sentidos son las ventanas del Templo-Cuerpo; llevan la luz del mundo externo; pero, también, el hombre recibe la luz interna y, por medio de ellos, puede actuar sobre el mundo externo.

El Iniciado transforma esas cinco cadenas que lo atan al poder de la ilusión en útiles instrumentos del *Yo*. Los cinco sentidos y nuestra mente están construidos con material recibido del exterior, así como de las reacciones internas.

86. Los cinco sentidos son los cinco talentos de los que habló Jesús en el capítulo 25 del Evangelio de San Mateo y en el capítulo 19 del de San Lucas.

Todo hombre que posee los cinco sentidos está obligado a trabajarlos y duplicarlos. Un sentido bien educado da un talento interno y de esa manera los cinco talentos se duplican con el uso justo para dar cuenta al Señor, en su regreso, en la segunda venida.

87. Ya dijimos que el Aliento es el creador de los cinco sentidos. Una de sus vibraciones desarrolla la vista.

La vista es el sentido al que se debe dar la mayor importancia. El Iniciado debe practicar y aspirar a ver la Luz Interna de la Verdad, emanada del *Yo Soy* para dirigir, según esa luz, todos los pensamientos y construcciones mentales y, según se modifica la visión interior de las cosas, también se modifica en correspondencia con la vista interna.

Jesús dijo: "La lámpara del cuerpo es el ojo (el ojo interno, o glándula pineal); de modo que, si tu ojo fuere sincero, todo tu cuerpo será luminoso; pero, si tu ojo fuere malo, todo tu cuerpo será tenebroso. Así, si la luz que hay en ti son tinieblas, ¿cómo serán las tinieblas mismas?"

Esa es una gran verdad. La visión interna es la facultad imaginativa del hombre, que es su fe operadora de milagros.

Lo que vemos influye en nuestra mente, y nuestra imaginación contribuye para hacernos lo que somos. Tal cual piensa el hombre en su corazón, así será él.

A su vez, lo que somos, sentimos y pensamos de nosotros mismos, modifica nuestra visión interna y externa. Felicidad, desgracia, belleza, fealdad, etc., están dentro de nuestro sentir interno; por esa razón, dos personas distintas, ante las mismas cosas o circunstancias, las verán de manera diferente.

El Iniciado debe adquirir la visión exterior e interior en todos sus actos. El mundo exterior debe mirar y contemplar todo lo que pueda elevar su espíritu a los mundos superiores; motivos no faltan, por ejemplo, pinturas, praderas, flores, cuanto nos ofrece la madre natura de bello; en el mundo interno debe visualizar todo lo positivo, todo lo constructivo, para mantener siempre luminoso el ojo interno, a fin de iluminar la senda de sí mismo y de los demás.

Una visualización baja y densa obscurece el ojo interno o la glándula pineal; por ello, nunca debemos interpretar mal lo que vemos en el prójimo.

Toda actividad externa es la expresión de la visión interna. Toda realización es manifestación de la visión íntima. Las tinieblas externas existen para el hombre en la medida en que su visualización interna se halla limitada por los errores que capta de las cosas.

La visualización positiva es el centro del Poder en manos del Iniciado; todo límite exterior desaparece ante la visión perfecta que nos conduce al progreso.

La vista interna positiva se desenvuelve por la aspiración a lo bello, aquella aspïración que nos da el dominio absoluto de las emociones que produce la vista de las cosas raras e inesperadas.

Esa práctica desarrolla, de modo sorprendente, la voluntad.

La vista positiva nos depara la ocasión de recibir el primer talento de la conciencia interna y perfecta de las cosas.

Con ella recibe el hombre incrementos de energías que más tarde le impulsarán a ser más activo y le dará un mayor grado de fuerza productiva.

Tal fuerza pone en movimiento las facultades intelectuales y la confianza más absoluta en sí mismo y hasta los ojos físicos funcionarán mejor.

Esa es la ciencia de la contemplación, pero tenemos que contemplar siempre lo que hay de bello hasta en lo feo; nunca, en cambio, debe contemplarse lo feo. Concordante con la belleza interior de nuestra mente, podemos encontrar el grado de belleza en las cosas. La mente maligna jamás puede hallar algo bueno, ni en las cosas, ni en los hombres.

88. El segundo talento es el oído: el hombre determina lo que piensa y cree por lo que oye. El oído es la base de la fe y confianza en todas sus manifestaciones.

Según lo que ve, el hombre sabe y, según lo que oye, conoce; no obstante, el mejor conocimiento es el que nos adviene de la voz interior que siempre nos habla y, conforme escuchamos, dirige el curso de nuestros pensamientos, determinaciones, palabras y obras.

La voz interior, al igual que la visión, nos grita a cada instante para librarnos de la caída.

El Angel de la Espada que se encuentra a la puerta del Edén, examina por medio del oído, la cualidad de las vibraciones de las palabras que tratan de entrar en nuestra conciencia y sólo admite las palabras positivas y constructoras que vibran en armonía con el Verbo Divino.

El Iniciado debe siempre intentar oír lo sublime, lo bello de todas las artes, hasta llegar a poseer el sentido esotérico en el ser psicológico y en el centro intelectual. Todo habla a los sentidos para formar y embellecer el intelecto, considerado como el segundo talento.

Nunca debe oírse la injuria, la calumnia, la vituperación, la crítica y todo lo que puede herir la naturaleza humana. Tenemos siempre que aspirar a concentrarnos en la Voz Interna o Voz del Silencio, llamada así porque silencia los sentidos y nos comunica el saber del Intimo, en ese estado.

89. La vista nos da la conciencia de la verdad que desarrolla nuestra voluntad; el oído nos otorga la fe; el tacto nos revela el amor. Las manos son los mensajeros de la mente; deben tener afinado tanto el tacto material como el moral, para no herir.

Dice la expresión: Hay que actuar con tacto. Actuar

con tacto es cosa relevante, pues de nuestro tacto depende el éxito o el fracaso; porque actuar con tacto es actuar con prudencia, con talento y, consecuentemente, con amor, que es el tercer talento dado por el Intimo al hombre.

No obstante, el amor debe ser impersonal; por eso dijo Jesús que tu mano izquierda no sepa lo que hace tu derecha; lo que quiere decir, amor puro, desinteresado y sin esperanza de recompensa.

90. El cuarto talento pertenece al gusto. El gusto es el cuidador del templo o el sentido que representa al Angel de la Guarda.

Así como el hombre, por medio de la inteligencia, debe escoger los alimentos sanos para mantener el cuerpo, así debe el Iniciado buscar el gusto espiritual de la individualidad. Hombre de gusto es el hombre que trascendió lo vulgar para adquirir la textura de lo superior, lo elevado, para frenar los instintos que, no domados a tiempo, serán obstáculos a los esfuerzos del aspirante. No se debe olvidar que el gusto es el único sentido que tiene relación con el centro instintivo.

El quinto talento es el olfato, que representa al segundo ángel, porque tiene mucha relación con el gusto; es el guardián externo del templo del cuerpo.

En el olfato se basa la ciencia de la respiración, cuya influencia está comprobada sobre la parte más sutil y delicada de nuestro ser: el sistema nervioso simpático y la inteligencia.

El Iniciado debe purificar su ambiente mental para poder respirar los átomos puros que tienen relación íntima con el pensamiento.

De esa manera puede introducir en su cuerpo el aire más puro de los Tatvas anteriormente indicados.

El hombre debe desprender olor de santidad. Esta frase no es alegórica ni poética; es una verdad, porque el hombre santo emana realmente un olor agradable que, aunque no sea percibido por el sentido físico del olfato, es muy penetrante para el sentido psíquico.

Una vez dominados los sentidos según esas prácticas, puede el hombre devolver a su Intimo los cinco talentos duplicados, y el Intimo Señor y Dueño le dice: "Buen siervo: fuiste fiel en lo poco; he de darte mucho; entra en el gozo de tu Señor", esto es, **sé uno conmigo.**

Capítulo IV

EL SENARIO Y LA UNIDAD

91. La Estrella Microcósmica, símbolo del hombre, es el camino del Microcosmos que lleva la Estrella Macrocósmica, compuesta de dos triángulos entrelazados, formados por la acción de las cinco puntas de la primera.

El senario es la encrucijada del camino; una vía va hacia la derecha y otra para la izquierda.

Los cinco sentidos del hombre bien educado y bien aplicados conducen al Centro, morada de la inteligencia, a la intuición del corazón.

92. Los cinco sentidos son los cinco grados que nos llevan a la Unión, por medio de la inteligencia con lo Intimo.

El primer grado corresponde a la tierra, mundo de los instintos en cuyo seno se halla oculta la Realidad de las cosas, que se esconde bajo la forma y corresponde a la reflexión perseverante.

El segundo es el aire que representa el mundo mental con sus errores y corrientes contrarias, donde el Iniciado debe permanecer firme en su fe espiritual como la roca contra el embate del mar. Ese grado corresponde a la firmeza equilibradora. Se obtiene por el dominio del tacto.

El tercero es el agua, el mundo de deseos, el mundo astral donde el Iniciado debe dominar y calmar el mar de sus pasiones, siempre enfurecido en el vientre y en el hígado.

Siempre debe mantenerse sereno, como el guerrero valiente en medio de la lucha.

Con el dominio del gusto adquiere serenidad.

El cuarto es el fuego de las aspiraciones que se traduce por el entusiasmo que saca al hombre de la fría indiferencia y del ardor de la fiebre. Con el dominio de la vista, se llega a ese estado.

El quinto es el éter conductor de las vibraciones del Verbo que es LUZ. Cuando entra por el oído interno, provoca en nosotros la facultad del discernimiento.

93. Con la Iniciación Interna, se torna el hombre una fulgente estrella, verdadero hijo de Dios hecho carne, porque dominó sus cinco sentidos. Tiene cinco puntas y representa el Poder Soberano del Mago ante quien se inclinan los elementos de la naturaleza.

94. No obstante, dentro de la estrella de cinco puntas, en el corazón, debe brotar nuevo elemento, nueva entidad atómica y divina, que es el centro de la Inteligencia que quiere crear por medio de los cinco sentidos: la Fuerza Creadora.

95. Cuando el hombre dirige a la cabeza, por medio de sus pensamientos, la Fuerza Creadora, a manera del número seis (6) imagen del arco evolutivo, une el punto superior (símbolo de la Esencia Divina) con el círculo de su manifestación y también representa el esfuerzo de esa manifestación para arriba. Sin embargo, cuando el hombre desciende con sus pensamientos a la inferioridad de su ser, a los instintos y pasiones para vivir y deleitarse allí, la Fuerza Creadora lo convierte en monstruo, en macho cabrío, emblema de la magia negra.

96. La estrella microcósmica de cinco puntas tiene en el centro a la Fuerza Creadora que completa el número seis. Esa fuerza produce la involución, como lo demuestra la Biblia en la caída del hombre, y produce también la evolución cuando es debidamente usada, convirtiéndose en el Arbol de la Vida.

Según la voluntad del hombre y sus pensamientos, esa fuerza conduce a la degeneración o a la regeneración.

97. El Iniciado, por medio de la voluntad o aspiración continua por el pensamiento, canaliza la fuerza creadora para la nutrición de sus cinco sentidos y de esa manera llega a ser Uno con Dios el Intimo. Esa energía lleva a libertarse de la esclavitud de los sentidos y pasiones; es la escalera simbólica de Jacob que va de la tierra al cielo.

98. El senario o el número seis está simbolizado por los dos triángulos entrelazados o Estrella Macrocósmica. Ese símbolo representa el bien y el mal. Conforme la voluntad del hombre, la Fuerza Divina puede ser empleada para el bien o para el mal. Cuando esa fuerza es utilizada para la armonía, el triángulo es blanco y luminoso y, cuando es aprovechada para la desarmonía, el triángulo es negro.

99. El senario , entonces, significa la generación, que es el resultado de los dos triángulos entrelazados. En la Cábala, el arcano seis está simbolizado por un joven entre dos mujeres, una a la derecha y la otra a la izquierda (el hombre entre la naturaleza divina y la terrestre), que debe escoger, entre el camino de una que es virtud y el de la otra que es el vicio. Es el libre arbitrio que actúa en ese estado. En la derecha está el mundo divino, el equilibrio de la voluntad y la inteligencia que lleva a la belleza. En lo humano, está el equilibrio del poder y de la autoridad que es el amor y la caridad y, en lo natural, es el equilibrio del Alma Universal que conduce al Amor Universal. En la izquierda todo es confusión, desarmonía y egoísmo.

100. En el triángulo con el vértice dirigido hacia arriba, tenemos en el cuerpo: Dios Padre, Dios Hijo y Dios Espíritu Santo; mientras que en el triángulo con vértice dirigido hacia abajo, tenemos: Inteligencia, Belleza y Voluntad.

Respecto de lo humano, en el primero tenemos: Adán,

Eva y Humanidad, y en el segundo: Autoridad, Amor y Poder.

101. Se puede inferir de eso que la Fuerza Creadora es la Madre Generadora de la Naturaleza o la generación universal de las cosas: de la Fuerza Genital vienen las palabras genio (o Superhombre), génesis, generación, etc. El hombre debe ser un genio o Superhombre para aspirar, saber y poder concentrar la Fuerza Creadora en el cerebro, donde puede sentir la unión con el Intimo.

102. Así como Jesús, en el desierto de la materia física, fue tentado, lo que explica el símbolo sexto de la Cábala, así debe el Iniciado sufrir la tentación de la Fuerza Creadora en sus cinco sentidos. La mujer de la izquierda lo convida a gratificarlos con el placer y la molicie, al paso que la de la derecha lo llama al cumplimiento del deber y de la virtud. En la elección entre las dos sendas estriba la evolución o la caída, el poder o la debilidad.

103. La Energía Creadora es el puente entre el hombre y el Intimo. Cuando, por medio de la aspiración, respiración y meditación voluntaria se canaliza esa energía para el tacto, llega el hombre a dimanar de su cuerpo un poder salutífero capaz de curar, instantáneamente, cualquier dolor físico o sufrimiento moral. Su cuerpo se convierte en fuente de salud, bienestar, tranquilidad y paz para los necesitados y entonces se dice, con razón: ese hombre tiene tacto.

No obstante, jamás se debe confundir la palabra tacto, que es juicio recto, con diplomacia o hipocresía, símbolo del engaño y fraude.

104. Dirigida esa energía al gusto, convierte al hombre en un árbitro de belleza y armonía. Su hálito será el aroma que perfuma la vida; su soplo calma la ansiedad y el dolor; su aliento caliente anima, vivifica y muchas veces resucita; su palabra contiene las vibraciones de la ley: armonía y positivismo.

Dirigida al olfato, el hombre aspira con mayor fuerza y absorbe los átomos de luz y pureza. Esos átomos forman alrededor del cuerpo una armadura etérea, cuya influencia actúa en todo el ser puesto dentro de su área. El aura del Iniciado emana un olor imperceptible al sentido físico, pero absorbido por el psíquico y que actúa en los seres mágicamente; cura sus enfermedades, les ilumina la mente y hasta resuelve sus problemas y dificultades.

Concentrada en la vista, esa energía relaciona al hombre con el mundo divino, desarrolla en él la vista interna o el ojo interno, y podrá ver el pasado escrito en la parte inferior del cuerpo, el presente en el pecho y el futuro en la cabeza con toda claridad y precisión. Entonces ya no cometerá errores, ignorantemente, como aquellos que tienen su visión enferma. En ese estado, el hombre se convierte en Ley y su voluntad será la ejecución de la Ley. Sus ojos irradiarán amor, armonía y poder.

Dirigida hacia el oído, oirá el hombre, en cada instante, la voz del Intimo, aquella voz silenciosa del pensador, proveniente de la parte más elevada de nuestro ser, que nos libra de toda esclavitud externa.

105. Cuando asciende la energía creadora por la columna vertebral, hasta llegar a los cinco sentidos, abre en ella un hueco, transformándola en un tubo; en ese hueco manifiesta su expresión el *Yo Soy Intimo*, y por ese medio logra tener perfecta comunicación con todo el cuerpo de arriba abajo y de abajo arriba. Esa oquedad ayuda a la evolución del hombre y en ella circula la savia del Arbol de la Vida.

106. Es la Iniciación interna la que facilita la ascensión de la Energía Creadora por la columna vertebral del Iniciado, perforando en ella ese agujero para dar libre paso al fuego, a la luz y a las vibraciones cósmicas, principios divinos que relacionan al hombre con el Intimo.

107. La Estrella de Seis Puntas o el Hexagrama, formada por los dos triángulos entrelazados, se llama también el Sello de Salomón y es el símbolo del Macrocosmos; en tanto que la Estrella de Cinco Puntas es el Microcosmos o el hombre, según los antiguos filósofos.

Los dos triángulos de la Estrella de Seis Puntas indican también las fuerzas ascendente y descendente, el principio masculino activo y el femenino pasivo.

El Hexagrama expresa el axioma hermético: "**LO QUE ESTÁ ARRIBA ES ANÁLOGO A LO QUE ESTÁ ABAJO**". Los dos triángulos representan el mundo divino y el mundo material entrelazados, en tanto que en el centro de la estrella está el mundo interior, subjetivo, del hombre, que es el vehículo de la manifestación de ambos.

108. El cubo se relaciona con el número seis, por sus seis caras. El masón debe formar desde la piedra bruta una piedra cúbica o piedra filosofal, esto es, desarrollar sus seis sentidos, para llegar a la perfección individual y convertirse en una piedra perfecta al servicio de la Obra del G. A. D. U.

109. El Templo Masónico, además de representar el Universo, es una representación del Templo de Vida Individual, que cada hombre debe levantar en si mismo para la Gloria del G. A. D. U.

Platón dijo: "Dios creó dos cosas a su imagen y semejanza: el Universo y el Hombre.

Por ese motivo, toda nuestra vida y actividad deben ser un esfuerzo constructor y armónico, para que nos volvamos cooperadores de Dios en su Obra.

En cada Cuerpo-Templo está el **Reino de Dios, en el Cielo de nuestro Ser**. La alegoría del **Templo-Cuerpo** es antiquísima: Jesús hablaba de su **Templo-Cuerpo** y muchos entendían que se trataba del Templo de Jerusalén, que El podía destruir y reedificar en tres días.

La vida en sí misma es una obra de construcción, que vivifica toda materia bruta e inerte, para que coopere con la Inteligencia consciente o inconsciente.

El propio Universo es una obra inmensa en construcción, cuyos obreros trabajan bajo las órdenes del Gran Arquitecto.

Nuestro cuerpo tiene una arquitectura maravillosa, con su expresión orgánica en diferentes razas y ambientes; se manifiesta mediante una construcción compleja, que se ajusta a planos sabios y perfectos.

110. Los instrumentos de la construcción son doce;
El MAZO es la Fortaleza
EL CINCEL es la Determinación
LA REGLA es el Equilibrio
EL COMPÁS es la armonía de los polos
LA PALANCA es la Potencia y la Resistencia
LA ESCUADRA es el TAU, es la Experiencia
y el Buen Juicio
LA PLOMADA es el Ideal realizador para el mundo
EL NIVEL es el Esfuerzo, la Superación
y el Equilibrio
LA ESPÁTULA es el Servicio y la Caridad
LA ESPADA es el Poder del Verbo Creador
LA PLANCHA es el Saber
LA CUERDA CON NUDOS es el lazo de unión
con el Intimo Dios Interior

111. Estos doce instrumentos son las propias facultades del Espíritu, conforme hemos explicado en el Capitulo del Cuaternario.

Representan las doce glándulas endocrinas internas. Cada una de ellas tiene que ser desarrollada y vitalizada por medio de afirmaciones, por la aspiración y espiración, acompañadas de la meditación y concentración.

En esto consiste el deber del Compañero, que aspira a ser Maestro o Superhombre. Una ciencia sin ser ejercitada es como un brillante o perla en el fondo del mar. (Releer, meditar y practicar lo dicho en el Capítulo II).

112. Las tres ventanas del Templo, abiertas al Grado de Compañero, por donde entra la Luz de Oriente, Occidente y Mediodía, representan la Luz Interna que se manifiesta por medio del desarrollo espiritual, psíquico y mental.

La Luz de Oriente es la de la Realidad, que gobierna las Leyes del Universo; la de Occidente es el reflejo de la primera en la materia; la del Mediodía es la del mundo interior del hombre y de su Inteligencia, consciente de aquella luz.

Son tres experiencias en los tres mundos: Mundo Divino o Realidad Trascendente; Mundo Interior o Realidad Subjetiva, y Mundo Exterior o Realidad Objetiva.

Yo Soy la Luz del Mundo y de Todo Hombre que Viene a Este Mundo.

Capítulo V

LA MAGIA DEL VERBO O EL PODER DE LAS LETRAS QUE DEBE APRENDER Y PRACTICAR EL COMPAÑERO

> *"En el Principio era el Verbo y el Verbo estaba con Dios, y el Verbo era Dios" (San Juan, I-1)*

113. Pitágoras dijo: "Dios geometriza". También se puede agregar: "por medio del sonido". De acuerdo con esa teoría, se puede deducir que los sonidos están determinados por los principios absolutos de la matemática.

Los sabios de la antigüedad se servían de esa música geométrica para explicar su concepción cósmica, aquella teoría que esclareció la generación de los intervalos y modos por medio de la relación de las distancias armónicas que existen entre los planetas.

Según esta teoría, el **do-re** corresponde a la distancia de la Tierra a la Luna; **re-mi** a la de la Luna a Venus; **mi-fa**, a la de Venus a Mercurio, y así con las demás notas y planetas.

114. El movimiento de cada planeta produce una nota correspondiente a la posición que ocupa el astro, y Pitágoras denominó estos sonidos "Música de las Esferas". Esta música, con sus sonidos, regulan y reaniman las manifestaciones de la vida de cada mundo.

115. Cada cuerpo vibra y, conforme sea el número de ondas emitidas por segundo, indica la clase de sonido que produce al vibrar.

116. La ciencia obtuvo la escala de vibraciones y comprobó que sus valores van de 0 a 16.000.000 de ciclos por segundo. Nuestro órgano auditivo puede percibir solamente de 16 a 32.000 ciclos, y así sucede con los sonidos e, igualmente, con los colores. Tenemos sonidos supersónicos e infrasónicos, que no excitan nuestro oído, así como el ultravioleta y el infrarrojo que no percibe nuestro órgano visual.

117. Todos los sonidos, audibles o no a nuestro oído desnudo, provocan reacciones que, si se repiten, irán con el tiempo modelando nuestra personalidad y sugestionándonos para que sintamos y pensemos de acuerdo con la índole de los sonidos. Una marcha fúnebre nos entristece, una marcha guerrera provoca y excita los ánimos. Ha sido comprobado que el sonido afecta, provoca y activa determinadas reacciones químicas y ejerce una influencia en nuestro organismo, que modula las características de nuestra personalidad.

118. Todos los cuerpos son sensibles a las vibraciones sonoras, con la diferencia de que cada uno tiene su propia frecuencia vibratoria y no todas las frecuencias son audibles para el oído humano.

Hay infinidades de cuerpos que emiten sonidos que nuestro oído no percibe. Ahora bien, si pasamos el arco sobre una cuerda de violín, esta produce una vibración que es proporcional a su longitud y será tanto más baja o más alta cuanto mayor fuera el número de vibraciones que emite por segundo. Y serán más agradables al oído si sus sonidos fuesen más variados. Los acordes que acompañan a la nota fundamental son los que proporcionan mayor riqueza de sonidos.

119. Todos los cuerpos son sensibles a las vibraciones sonoras y todos tienen capacidad para generarlas y ser afectados por ellas.

Si pasamos un arco de violín por el borde de un vaso, resulta un sonido, que podemos reducir, vertiendo agua dentro del vaso y, mejor que el agua, alcohol o éter.

Si en tales condiciones pasamos nuevamente el arco sobre el borde, además de producir el sonido que corresponde al espacio vacío del vaso, se forma en el líquido una serie de gotas que saltan y forman una especie de estrellas.

120. Si tomamos una placa de cristal, apoyada sobre un cono de corcho, de manera que sus extremidades queden al aire; y si recubrimos la placa con polvo de licopodio o arena muy fina y pasamos el arco del violín por uno de los lados, el sonido resultante o la resonancia, hará que la arena forme una estrella parecida a la que se obtiene en el vaso con agua.

121. Si se tapa la parte superior de un recipiente con una piel de tambor o con una lámina de caucho y se coloca un dispositivo en forma de embudo que penetre en su interior, tenemos un instrumento admirable para observar el efecto de resonancia. Al regar sobre el caucho una fina capa de arena y al emitir un sonido con la boca cerca del embudo, la arena formará una serie de figuras o diseños interesantes.

Al ser sustituida la arena por polvo de licopodio y un poco de glicerina y, al decir el nombre propio sobre la boca del embudo, la voz formará un cuadro que retrata gráficamente el conjunto de sonidos emitidos.

Hay más: Cada letra del alfabeto forma, al ser vocalizada, un conjunto diferente de la otra y de acuerdo con el tono de la voz que la pronuncia. Todo esto justifica científicamente la influencia del sonido sobre la materia.

122. El doctor Knudsen, de la Universidad de California, haciendo uso de una cámara subterránea y de aparatos de física adecuados a la generación de frecuencias más bajas y más altas, obtuvo una gran serie de fenómenos, entre los cuales figuran los siguientes:

a) Atacando un recipiente con ciertas frecuencias, consiguió la ebullición del agua que contenía, sin que se produzca calor.

b) Colocando una varilla fina de metal en el interior de un circuito y golpeando este con ciertas frecuencias ultrasónicas, no se registrará aumento de temperatura en un termómetro, pero producirá una quemadura intensa, si se la toca con el dedo.

c) Con la misma frecuencia y por determinados sonidos, el aceite que flota sobre el agua se convierte en un líquido homogéneo con el agua.

d) Sin aumentar la temperatura, un huevo puede transformarse en cocido y, así, es posible conservarlo fresco durante meses. Lo mismo ocurre con las frutas.

Determinadas bacterias que resisten el calor y el frío intensos, mueren rápidamente al ser sometidas a ciertas frecuencias ultrasonoras.

e) Las simientes de algunas plantas aceleran el proceso de germinación y maduración, al ser sometidas a determinadas frecuencias vibratorias.

f) El ultrasonido, en Química, actúa en la fécula, descomponiéndola en dextrina, y diversos vegetales son convertidos en acetileno.

123. De todo lo expuesto se deduce que:

a) Todo cuerpo tiene la propiedad de generar y reproducir frecuencias que armonizan con su propio sistema vibratorio.

b) Todo sonido actúa con sus vibraciones sobre los demás cuerpos.

c) El sonido afecta el ordenamiento molecular.

d) El sonido influye en los procesos físico-químicos.

e) El sonido modela formas geométricas.

f) El sonido provoca fenómenos de atracción y repulsión.

g) El sonido influye en la cohesión orgánica de la materia.

124. Se puede imaginar o considerar el sistema planetario como una gigantesca cítara donde cada planeta emite, desde su posición, una nota correspondiente al sector que ocupa en la longitud de su cuerda; de esta manera podemos imaginar lo que Pitágoras denominó "Música de las Esferas".

Esta Música, además de ejercer influencia sobre la materia, como hemos visto, ejerce también una influencia en las correspondencias físicas y mentales del ser humano.

125. El ser humano está compuesto por doscientos quintillones de células, cada una con su citoplasma y núcleo correspondiente. Cada célula es un circuito que resuena y todos los doscientos quintillones de individuos, con todas las frecuencias oscilatorias, obedecen y determinan sus reacciones por el principio de pensamiento-vibración.

126. En cada ser hay mente y una mente en cada célula o partícula. Cada mente cumple una finalidad distinta a través de las funciones propias de su organismo, pero los doscientos quintillones de mentes que constituyen la unidad de nuestro ser obedecen todos a una sola y misma inteligencia y vibran todos al son de nuestro Verbo.

127. Los sabios de la antigüedad establecieron una relación entre la cabeza del hombre y sus atributos, lo que da lugar a la actividad de su masa encefálica en cada sector con los doce signos zodiacales. Se supone que cada sector esté formado por células cuyos resonadores tengan la capacidad que corresponde a la resonancia de cada signo, sin embargo, el hombre de voluntad y saber puede producir en los sectores de su propia cabeza, la resonancia deseada, por medio del Verbo.

Los antiguos atribuían a cada signo y sector, comprendido en la cabeza, ciertos atributos que son:

1. ARIES: entre la mitad de la cabeza y la cúspide de la frente. Esta región es centro de Esperanza y Fe.

2. TAURO: de la cúspide hasta la parte media de la frente: Inspiración y Amistad.

3. GÉMINIS: de la parte media de la frente hasta la parte superior de la nariz: Visualización y Atención.

4. CÁNCER: de la parte superior de la nariz hasta el labio: Protección e Integridad.

5. LEO: del labio hasta la parte inferior de la quijada: Libertad y Determinación.

6. VIRGO: de la parte inferior de la quijada hasta la parte inferior de la laringe (glotis): Expresión y Comunión.

7. LIBRA: de la glotis hasta la extremidad superior de los omoplatos: Estabilidad y Contemplación.

8. ESCORPIO: de los omoplatos hasta la parte superior de la nuca: Pasión y Sensualidad.

9. SAGITARIO: de la parte superior de la nuca hasta la mitad de la región anterior de la cabeza: Inspiración y Conocimiento.

10. CAPRICORNIO: de la región anterior de la cabeza hasta la mitad de la región superior de la cabeza: Defensa y Agresividad.

11. ACUARIO: de la mitad de la región superior de la cabeza al comienzo de lo alto de la cabeza: Intelecto y Control.

12. PISCIS: de lo alto de la cabeza hasta el medio de la cabeza: Devoción y Reverencia.

128. Existe una leyenda que afirma que ha habido un tiempo en que el hombre poseía una palabra mágica que, al pronunciarse, adquiría el poder de realizar fenómenos maravillosos, tales como hacerse invisible, obtener una alfombra mágica para transportarse a lugares lejanos, dar salud, multiplicar sus fuerzas, conocer lo oculto y lo manifestado y obtener todo lo que el corazón desease. Sin embargo, el hombre de hoy olvidó la manera de pronunciar esa palabra, desde el momento en que su codicia lo hizo olvidarse del buen uso que tal poder le concedía. Actualmente se llama **"La Palabra Perdida"**.

129. Sin embargo, existen hasta hoy seres humanos que, con su canto, dominan a las fieras salvajes, u otros que, por medio de la palabra, curan a los enfermos y ayudan a los deprimidos.

Esto nos demuestra que aquella leyenda o cuentos de "Las Mil y Una Noches" era una verdad y que el poder de aquella Palabra no fue totalmente perdido. No obstante, cabe preguntar: ¿Qué hay en el fondo del hombre, que puede ser despertado por medio de la palabra y que, una vez despertado, le comunica un poder ingente, del que no dispone en su estado normal?

130. Hemos asistido a sesiones de hipnotismo científico y constatamos el poder de la catalepsia. Permaneciendo en tal estado, el brazo de la persona hipnotizada puede soportar el peso de dos hombres colgados de él. ¿Y el sonámbulo que ejecuta ciertos actos que le serían imposibles durante la vigilia?

"En el Principio era el Verbo" dijo San Juan. Está perfectamente verificado que el Verbo, por virtud de la resonancia universal, tiene la propiedad de despertar lo que está latente en el ser y que, al ser emitidos, sus sonidos entran en vibración por resonancia también y despiertan los poderes ocultos en el fondo de nuestra conciencia. Esta es la magia del Verbo, por intermedio del cual fueron hechas todas las cosas.

Agregaremos que cada letra corresponde a una nota musical y a un color determinado y que, por este motivo el Arqueómetro viene a ser un instrumento que tiene la particularidad de servir, igualmente, a todas las artes. Y, al mismo tiempo, la llave de la escala sonométrica del músico, la gama de colores del pintor es la directriz de las formas arquitectónicas.

En resumen, los números de las tres letras constitutivas significan La Divinidad.

Los números de las doce letras involutivas expresan La Vida Absoluta. Los de las siete evolutivas: Condicionalidad Divina, el don de la Vida y las condiciones de este don.

131. El Cielo habla y el hombre habla, pero el Verbo del Hombre-Dios crea por su energía vibratoria.

Cada letra vibra dentro y fuera de cada uno de nosotros. Cada uno de nosotros es un Logos, que puede manifestar su fuerza, creando su propio ambiente. El Logos es un sonido potencial latente insonoro, pero puede manifestarse como sonido audible.

Cada letra es una fuerza; la combinación de las letras genera la acción que culmina de manera diferente.

Pronunciar el nombre de un ser es atraerlo por medio de la evocación.

Un pensamiento debe proyectar cada palabra, porque el Logos es la unión de pensamiento y palabra.

132. Las vocales IEUOA son eternas, porque fueron pronunciadas y serán pronunciadas de la misma forma; unidas a las consonantes, forman todas las palabras de todos los idiomas. Existen otras dos vocales que son muy difíciles de pronunciar. Cuando el hombre llegue a desarrollar los dos sentidos, todavía latentes en sí, podrá entonces pronunciarlas.

El hombre actual tiene cinco sentidos y solamente cinco vocales en su alfabeto común. El Iniciado, que desarrolló el sexto sentido y rompió el sexto sello, puede pronunciar la sexta vocal.

133. Debemos dar cuenta de nuestro íntimo por la palabra inútil que pronunciamos, porque el sonido de las palabras recorre primero todo nuestro organismo, para estampar en él sus buenas o malas vibraciones, antes de salir al espacio e invadir la creación.

Para convencerse de lo expuesto, se puede comprobar el hecho por medio de un teléfono y la prueba consiste en lo siguiente: Dos personas que hablan a distancia por teléfono, en lugar de colocar el fono ante su boca para hablar, pueden colocarlo en el pecho y así hacer que su voz llegue mucho más nítida a la otra persona, de lo que llega cuando recibe su voz directamente, por medio del método habitual. Una canción, en esta forma, llegará más nítida.

Esto nos demuestra que la palabra produce su efecto vibratorio en quien la emite, antes de ser lanzada al universo.

Dijo M. Christian: "Pronunciar una palabra es evocar un pensamiento y tornarlo presente; el poder magnético de la palabra humana es el comienzo de todas las manifestaciones en el mundo oculto. Dar un nombre no es tan solamente definir un ser, sino entregar su destino, por la emisión de la palabra, a una o más potencias ocultas".

Ahora enumeremos las letras que debe estudiar y practicar el Compañero:

O.U – (6)

134. Todas las vocales pronunciadas representan un esfuerzo mediante insuflación. Si ese esfuerzo es hecho con una voluntad inteligente, será una proyección de fluido o de luz humana o magnetismo. Este magnetismo es el instrumento de la vida.

Simboliza la causa operante que dirige nuestras determinaciones. Representa el principio del Verbo en cada ser. Está asociado al planeta Venus.

La nota musical de la letra "O" es DO, y la de la "U" es RE sostenido y Mi bemol. Sus colores son azul y verde, respectivamente, asociadas también a los procesos de la generación, a las emanaciones del cuerpo astral del ser humano y a la ciencia cabalística. Es el conocimiento del bien y del mal.

La letra "O" es la imagen del misterio más profundo, la imagen del punto que separa el ser del no ser.

La "O" representa el signo Tauro del Zodíaco.

En el plano espiritual, representa el conocimiento instintivo de trascendencia de los actos, del bien y del mal.

El hombre o el Mago del Tarot está de pie, en la encrucijada del camino, entre dos mujeres, que representan la necesidad y la libertad, el vicio y la virtud.

En el plano mental, representa el deber y el derecho. Inspira las ideas que nos determinan a escoger, en cada caso, según la lección que nos corresponde aprender.

En el plano físico, es la determinación de conducta, la abstención de las inclinaciones del apetito, o sea, disfrute del gozo.

Promete privilegios en las relaciones amorosas, obtención de cosas materiales, posesión de lo que se procura y ardientes deseos de que se cumplan.

"O" repercute en el corazón y cura sus enfermedades. Tiene los siguientes significados:

En lo Divino: equilibrio entre la Voluntad y la Inteligencia. Belleza.

En lo Humano: equilibrio entre el Poder y la Autoridad. Amor.

En lo Natural: equilibrio entre el Alma Universal y la Vida Universal. Atracción Universal.

"O" es la letra de la realización; concede mentalidad despierta, favorece los acontecimientos placenteros y da poder para convencer.

EJERCICIO: Hacer la respiración ya enseñada en el primer Grado. Juntar las dos manos con las palmas sobre el corazón. Siempre pensar que el aliento de la vida penetra al aspirar y que, al exhalar, va al corazón, al vocalizar OOOOOO.

La "U" tiene el mismo poder de la "O", pero de una

manera expresiva.

La "O" es la letra de la realización interna: la "U" lo es de la realización externa. La "U" es una "A" invertida. La "A" se vocaliza con la boca bien abierta; la "U" con la boca casi cerrada.

"AU" es la combinación del mantra "AUM". La pronunciación de esta palabra sagrada varía conforme el caso: es "AUM" Trinidad; es "OOOOMMMM" Dualidad, y es "OM" Unidad.

La "U" cura las enfermedades del estómago y el intestino. El ejercicio es el mismo, sólo que las manos deben estar sobre el vientre y la vocalización es: UUUU EEEE IIII AAAA OOOO UUUU.

"En magia representa y otorga la belleza austera de la virtud. Con este poder, el Aspirante avanza siempre, sin vacilar y su lema es: "**Desprender de la voluntad todo el servilismo y ejercer el dominio sobre ella**".

Z – (7)

135. La "Z" expresa, jeroglíficamente, la espada flamígera y la flecha. Simboliza el arma que ayuda al hombre a adquirir el poder y el propósito que permite su realización. Representa la luz astral, lo que emana y mana, lo que es, en sí mismo, difusión luminosa, que da claridad y calor. Es la idea y el hecho.

La "Z" tiene muchos poderes, pero su pronunciación debe ser con el sonido en francés y no como la del español. Está asociada con el planeta Neptuno, al signo zodiacal Géminis, a la nota musical SI, al color azul plateado, al sentido del olfato y a la astrología mística. Es la fuerza operante, en el acto de operar, el espíritu hecho forma. Representa el tiempo y el espacio. Es veneración, fortuna, integridad. Su poder otorga: 1°) La rectitud en el propósito; 2°) Tolerancia en el opinar; 3°) Inteligencia para juzgar; 4°) . . . . . , 5°) Verdad en el hablar, 6°) Gracia para expresarse y 7°) Paz en el corazón.

En el Plano Espiritual, representa el dominio del espíritu sobre la materia, el conocimiento de los siete principios que dirigen los actos creadores y la posesión de las siete virtudes necesarias para el dominio de nosotros mismos.

En el Plano Mental, representa la certeza en el saber, en el obrar y la vitalización de nuestro ser por medio del magnetismo mental.

En el Plano Físico, representa el deseo de superación. Promete poder magnético, intelecto acertado y la conquista de lo deseado. Su práctica anuncia justicia, satisfacciones y honras.

Significado Divino: Es el hombre como función del Creador, el Padre o Realizador.

En el Humanismo, es la Ley, la Realización.

En lo Material, es la Naturaleza como función de Adán.

Se ha dicho que la "Z" es la letra de la victoria, pero es también la de la fuerza sexual del hombre. Da el triunfo. Es el sello universal y la fuerza que abre camino, con raíz, representada por la "Z".

EJERCICIO: Arrodillarse; el tronco recto, las manos extendidas al frente al nivel de los hombros. De esta manera se forma la letra "Z". Aspirar, retener y exhalar vocalizando:

ZA – otorga emociones.
ZE – otorga utilidades inesperadas.
ZI – otorga fervor en los sentimientos.
ZO – otorga confianza en sí y en los demás.
ZU – otorga iluminación interna.

Después de estos ejercicios se pone de pie enseguida. Debe repetirlos de igual forma y pensar que, con esta vocalización, se obtiene lo que se desea. Cada vocalización ocupa una aspiración.

"En magia, el dominio pertenece a aquellos que posean la soberanía del espíritu sobre todos los enemigos, que son defectos y pasiones. La práctica de las siete virtudes otorga al Aspirante, el poder encerrado en la Magia del Verbo y estas virtudes son; Fe, Esperanza, Amor, Fortaleza, Templanza, Justicia y Prudencia".

Heth – (8)

136. La octava letra es la "H", que se pronuncia como el silbido de la tos suave. Es de difícil pronunciación para el occidental. En el alfabeto latino ha sido representada por la "H" muda.

Simboliza el equilibrio y la justicia en cada cosa, a fin de que cada cosa sea propia en sí misma.

La letra "Heth" está asociada con el planeta Saturno, la nota musical RE, el color índigo, el signo zodiacal Cáncer, el sentido auditivo, con la astrología judiciaria y con todo lo que se relaciona con las medidas de tiempo.

Es el Plasma-Mater en cuyo sueño duerme la Vida. Es la Conciencia Humana, que posee el conocimiento del bien y del mal, la justicia, el equilibrio, el acto de repartir en proporciones iguales.

En otros términos, lo que es verdadero en la causa, se realiza en efecto. Es, como dijo Pitágoras, la armonía del Universo, la inspiración divina. Es el Verbo plasmado en acto. Es el primer grado de la realización, que descubre el misterio de la Transmutación.

"Heth" representa el alma que aspira y que respira como el cuerpo. Las almas enfermas tienen mal aliento. La respiración magnética produce, alrededor del alma, un reflejo de sus obras que le hacen un Cielo o un Infierno.

En el Plano Espiritual representa la justicia, la razón pura, la comprensión y la equidad.

En el Plano Mental representa el derecho, la conquista de la paz, la ventura como fruto de la moderación.

En el Plano Físico es la Ley del Equilibrio, la evolución y la involución. Promete templanza, recompensa, gratitud, raciocinio. Significa:

En lo Divino, la mujer como función de Dios y Madre.

En lo Humano, la Justicia, reflejo de la Realización y de la Autoridad.

En lo Material, reflejo de la Naturaleza, en función de Eva; es la existencia elemental, conservación de la Naturaleza Naturada en el mundo.

EJERCICIO: "Heth" tiene su ejercicio en la siguiente forma:

De pie, erguido, aspirar y levantar los brazos lentamente, hasta el nivel de los hombros; retener el aliento, juntar las manos extendidas frente al rostro, enseguida, tratar de extenderlas para atrás, rápidamente y así, juntarlas y separarlas varias veces, con el aliento retenido, aunque sin cansancio. Después, abrir la boca y expulsar, de golpe, el aliento, con el sonido "Hah", como quien quiere arrancar algo que estorba en la garganta, o como un suspiro.

Este ejercicio cura las enfermedades de la laringe y la garganta y ayuda al desarrollo de la clariaudiencia.

En Magia, indica el dominio de los obstáculos y la obtención de la Victoria. Es un trabajo muy simple en la vida humana. Para realizarlo, es necesario establecer el equilibrio entre las fuerzas que son puestas en movimiento. Toda causa produce un efecto. Comprendiendo a Dios como Hombre Infinito, el hombre se dice a sí mismo: "Yo soy el hombre Finito".

El pensamiento se realiza en palabra, y la palabra, en acto, en gesto, en señal, en letra.

La voluntad equilibrada atempera y anula los golpes y choques de la fuerza contraria.

Es malo para la salud tener enemigos. Perdónales y devuélveles bien por mal.

Para equilibrar las fuerzas, es necesario mantenerlas simultáneamente y hacerlas funcionar alternativamente.

"Teth" – (9)

137. "Teth" representa el techo o la idea de protección, lugar seguro, etc. Todas las ideas despertadas por esta letra, derivan de la unión entre la seguridad y la protección por intermedio de la sabiduría. Simboliza el principio de la conservación y el amor como acto puro y sin deseos. La letra "Teth" es la Sabiduría, el misterio insondable. La pronunciación de esta letra se efectúa colocando la punta de la lengua en la raíz de los dientes superiores, para pronunciarla como si la lengua hinchase la boca.

Esta letra está asociada con el planeta Marte, con la nota musical SOL, con el color rojo, con la alquimia mental y con la facultad de la clariaudiencia. Es la expresión de la prudencia en los impulsos. Es el genio protector, la Iniciación. Su signo zodiacal es LEO.

"Teth" es el principio viviente en comunión consigo mismo. En el plano espiritual es la manifestación de la Luz Divina en las obras humanas, la sabiduría absoluta, la comunión del pensador con el pensamiento y la cosa pensada.

En el Plano Mental, genera la prudencia, la discreción, la caridad y el conocimiento, el discernimiento, el juicio imparcial.

En el Plano Físico, ayuda al desarrollo molecular y al conocimiento del amor universal.

Promete descubrimientos, buena disposición de las cosas y buenos amigos. Significa: en lo Divino, la humanidad como función del Espíritu Santo, el Amor Humano.

En lo Humano, la prudencia y el callarse.

En lo Natural, el fluido astral, como fuerza conservadora.

"En Magia, son el silencio y la prudencia las armaduras del sabio". Sin embargo, el silencio no es absoluto. El sabio debe hablar cuando es necesario.

El sabio es dueño de sí mismo; por eso se torna dueño de los demás.

El Superhombre impone silencio a los deseos y al temor, a fin de no escuchar sino la voz de la razón. Este Superhombre es un rey sin corona y un sacerdote sin sotana; pero el reino y el sacerdocio no son concedidos, sino que hay que conquistarlos. El Superhombre trabaja para elevar la sociedad tambaleante y caída; pero, para fabricar oro, se necesita oro. Por esto es de desear que la necesidad fabrique superhombres, sabios prudentes y circunspectos, para reconstruir la vida en medio de la descomposición y la muerte".

I, J, Y. - (10)

138. "I" representa el dedo del hombre en actitud de dar órdenes. Es la imagen de la manifestación potencial, de la duración espiritual y de la eternidad de los tiempos. Es el miembro viril del hombre, simboliza el principio del Verbo plasmado, el orden y la necesidad de su existencia. Representa la causa de todos los efectos, la ley de la compensación.

"I" está asociada con los signos zodiacales Virgo y Capricornio, el color celeste, la nota musical SI, la intuición humana y la ciencia de los números. Es la periodicidad infinita. Se llama la Rueda Divina, ley del Karma, causa y efecto, orden imperecedero

Es el número 10. Es el número de Adán. Es el número y las letras del "EU". Es la magia sexual; es la serpiente ígnea; es el mago.

"I" vibra con su resonancia, desde los pies hasta la cabeza.

En el Plano Espiritual, representa la Ley de la Compensación, la causa y efecto, la alternativa que hay entre la sucesión de lo espiritual y lo material.

En el Plano Mental, representa la inducción y la deducción. Es la proyección infinita del pensamiento en sus distintos aspectos.

En el Plano Físico, representa la acción y su reacción, la aplicación de lo moral a lo material.

"I" es un fuego que consume unas cosas y crea otras. Es la volición y la idea, la inteligencia que formula y comprende el saber. Promete poder, fortuna, elevación.

Significa:

1. Reflejo de la voluntad, la necesidad (Karma)

2. Reflejo del poder y de la realización; la potencia mágica de la voluntad.

3. Reflejo del Alma Universal; la fuerza en potencia de manifestación.

La letra "I" vocalizada vibra en todo el cuerpo y el hombre se comunica por la vibración y entra en contacto con las fuerzas divinas y terrestres. Hace circular la sangre, que riega todo el organismo.

"IE" cura las enfermedades de la laringe; fortifica las cuerdas vocales para manifestar el poder del Verbo.

"IA" cura las enfermedades de los pulmones y de la cabeza.

"IO" alivia y cura el corazón.

"IU" es un remedio eficaz para el estómago.

EJERCICIO: Levantar los brazos verticalmente, para formar una "I", mientras se aspira por la nariz, lentamente. Retener el aliento; vocalizar "I E A O U".

Sin embargo, si se quiere fortificar un órgano, como, por ejemplo, el corazón, especialmente, se debe vocalizar IIIIII OOOOOO; si es la cabeza, IIIIII AAAAAAA, etc. Aconsejamos a los lectores que practiquen estas enseñanzas, aunque no les cobremos honorarios por el valor que tienen. Si quisiéramos explotar estos trabajos y enseñanzas, habríamos hecho fortuna, por los resultados que se obtienen. Damos estos consejos para eliminar de las mentes la idea de que la receta que no se pagó con precio muy caro, no cura al enfermo.

Nos falta todavía hablar de la letra sagrada "Y". El ejercicio consiste en levantar los brazos, como la propia letra lo indica. Inspirar, retener y exhalar, vocalizando "YO SOY".

En magia es necesario practicar los cuatro verbos, para aprovechar y adquirir el gran poder. Estos cuatro verbos son: Saber, Querer, Osar y Callar, que encierran todos los atributos del Intimo.

Significa:

1. El Poder Equilibrador.
2. La Sabiduría Equilibrada.
3. La Inteligencia Activa.
4. La Misericordia.
5. El rigor necesitado por la misma Sabiduría y por la Bondad.
6. La Belleza como principio mediador del equilibrio entre el Creador y la Creación.
7. El triunfo de la Inteligencia y la Justicia.
8. La victoria del Espíritu sobre la Materia.
9. Sentir el Absoluto como base de toda Verdad.
10. La Razón, atributo supremo y absoluto del Universo.

K - (11)

139. La letra "K" simboliza el principio de los actos reflejos, el esfuerzo del ánimo en su labor creadora. Es la expresión de la energía y la manifestación del poder. Es el concepto de la fuerza.

"K" es fuerza operante. Su planeta es Marte; su signo zodiacal es Acuario; su color el índigo; su nota musical RE bemol. Esta letra está asociada con la predicción.

Es el principio por el cual la persuasión dispone de mayor fuerza que la compulsión; es la inocencia que domina, es la fuerza divina y el poder moral. Es acción, trabajo y vitalidad.

En el Plano Espiritual, representa el poder de la persuasión, poder espiritual que domina la materia y el poder de conceder a los demás la facultad de crear y dominar por medio del conocimiento de la verdad.

En el Plano Mental, representa la fuerza moral y la fuerza del intelecto.

En el Plano Físico, es el dominio sobre lo animal o bajas pasiones en cada uno de nosotros, por la moralidad y por la conservación de nuestra integridad.

"K" promete fuerza para dominar los elementos; decisión, vitalidad y rejuvenecimiento.

Significa:

1. Reflejo de la Inteligencia.
2. Reflejo de la Fe: el coraje (osar).
3. Reflejo de la Vida Universal: la Vida Pasajera.

"K" es el gran agente mágico de la luz astral o el alma del mundo, que se debe dominar y utilizar.

La letra "K" produce entusiasmo y fe. La Fe produce el querer con razón, que es el querer con fuerza, cuyo poder es ilimitado.

EJERCICIO: Colocar el cuerpo en forma de "K". Erguido sobre el pie izquierdo, alzar la mano derecha y el pie derecho. Aspirar y retener, como ya enseñamos con las otras letras, y vocalizar durante la exhalación:

"KA" produce el deseo de saber e investigar.

"KE" induce a la dignidad y al comportamiento atento.

"KI" da alegría y salud.

"KO" da valor y osadía.

"KU" da serenidad y prudencia.

De paso diremos que la palabra "KIT" pronunciada rápida y cortantemente, después de una retención del aliento, por varias veces, hace circular la sangre bruscamente, para enviarla, rápidamente, a todos los órganos del cuerpo.

"En magia, es la fuerza adquirida por medio de la fe y el dominio de las debilidades del corazón. Estudiar el deber, que es la regla del derecho y practicar la justicia, por amor a ella, es el poder de la magia real. Lo que se opera en el mundo moral e intelectual, se verifica, con mayor motivo, en lo físico. Por tal razón, se debe eliminar el temor a la muerte, porque es común creer fácilmente en aquello que se teme o no se desea; pues, el temor y el deseo dan a la imaginación un poder realizador, cuyos efectos son incalculables.

Para adquirir la fuerza que domina al agente astral, se debe **amar sin desear**".

L – (12)

140. La letra "L" simboliza el sacrificio voluntario o movimiento expansivo, la consumación de las cosas, el altruismo. Es el desdoblamiento del brazo y el ala.

Está asociado con el signo zodiacal Libra, el color violeta, la nota musical MI. Es el principio por el cual nos guiamos a lo trascendente; es el sacrificio de lo que somos en aquello que deseamos ser; es el deseo de servir; es la devoción.

Esta letra genera todas las ideas de expansión y es la imagen del poder que resulta de la elevación.

Es la ley revelada, que castiga a quien la infringe y eleva a quien la cumple.

En el Plano Espiritual, representa el apostolado, el sacrificio del superior para la dignificación del inferior.

En el Plano Mental, significa el antagonismo de las creaciones mentales y la circunspección en el decidir y lo que hay de penoso en el obrar.

En el Plano Físico, representa la consumación de las cosas y el malestar material, producido por el esfuerzo empleado para obtener el predominio de lo moral.

Promete audacia, y afirma la disciplina en la sumisión al designio vivo. Es el símbolo de la personalidad.

Significa:

En lo Divino, el equilibrio entre la Necesidad y la Libertad: la Caridad y la Gracia.

En lo Humano, el equilibrio entre el Poder y el Coraje: reflejo de la Prudencia, la Experiencia adquirida (Saber).

En lo Natural, el equilibrio entre la Manifestación Potencial y la Vida Refleja. "L" refleja el fluido astral: la fuerza equilibrante en idiomas semitas.

"L" con "A": poder. En idiomas semitas, sea en el principio de la palabra o al final, significa Dios, como por ejemplo: "ALOHIM" o "ELOHIM", "ELLOS" o "BABEL", que significa Puerta o Ciudad de Dios.

EJERCICIO: Posición: arrodillado, levantar los brazos y manos verticalmente, encima de la cabeza y unirlas. Aspirar y vocalizar AAALLLAAA.

"En magia, el sacrificio es el camino para el poder. Hermes enseñó la operación de la Gran Obra: 'Separarás la tierra del fuego, lo sutil de lo espeso', esto es, librar el alma de todo prejuicio y de todo vicio.

Sólo por la devoción se puede llegar a identificarse con los designios de la Ley Divina.

El Aspirante está siempre expuesto a la crucifixión, al dolor y a la muerte, pero siempre debe aceptar, con dignidad y resignación, su dolor y perdonar a sus más crueles enemigos. Quien no perdona, no será perdonado y, así, condenado a la sociedad. Este poder del perdón otorga la cura de los enfermos y el poder de la resurrección".

M – (13)

141. "M" simboliza el principio de concepción y de plasmación, la inmortalidad, la renovación, el renacimiento, la transmutación. También designa la mujer compañera y madre, significa todo lo que es fecundo y capaz de crear.

"M" es el signo material femenino o acción pasiva. En el final de los nombres, designa lo colectivo, lo plural.

Es la letra que corresponde a la destrucción de lo creado, esto es, la transformación o la muerte, concebida como el paso de un mundo a otro.

"M" significa el agua madre de todo lo creado, el agua primordial. Está asociada con el signo zodiacal Virgo, el color escarlata claro, la nota musical FA bemol, el sentido del gusto. Es el principio por el cual se transmutan unos elementos en otros, y el hombre se prolonga en su creación.

En el Plano Espiritual, la letra "M" genera la renovación de la vida por medio de la transmutación en la inmortalidad de la esencia. Es la cúpula del Cosmos.

En el Plano Mental, representa la acción, la reacción y la transformación.

En el Plano Físico, genera el letargo, el sonambulismo, todo lo que altera y lo que destruye para renacer. Su vocalización promete gozos puros y gratos al alma, da mejoras, proporciona auxilio de amigos, renovación de condiciones, mudándolas siempre para mejorar.

Representa:

1.- Dios en aspecto pasivo o femenino: principio transformador.

2.- La muerte en el Plano Humano.

3.- La luz astral, en el Plano Material, como fuerza plástica universal.

"En magia es la Gran Obra. "M" con la "A", genera lo pasivo y la ternura. Con la "E" produce generosidad. Con "I", bondad.

La "O" y la "U" tienen que anteponerse a la "M".

"AUM" con las notas musicales DO, MI, SOL es una invocación poderosa a la Trinidad. De paso, debemos explicar que el Mantram AUM MANI PADME HUM, no significa más que “El Dios mío está en mí”.

EJERCICIO: La posición del cuerpo puede ser la de arrodillado, con las manos apartadas del cuerpo, imitando los trazos oblicuos de la “M”. Enseguida, se ejecuta el ejercicio respiratorio ya enseñado y se vocaliza “MMaaammm”, “MMeeemmm”, “MMiiimmm” o la palabra sánscrita “AUM, OM”.

En magia, la muerte es considerada como el principio del nacimiento en otra vida. El Universo reabsorbe sin cesar todo lo que sale de su seno y que no se espiritualizó”.

El segundo nacimiento consiste en la muerte de los instintos materiales, por una voluntad libre y por la adhesión del alma a las Leyes Divinas. Cuando el segundo hombre nace dentro del primer hombre, será el comienzo de la verdadera inmortalidad.

Si el hombre vivió bien (en su verdadero sentido) en la tierra, su cadáver astral se evapora como la nube de incienso puro, elevándose a las regiones superiores. No obstante, si el hombre vivió en el crimen y en las bajas pasiones y no quiso morir en la vida, su cadáver astral lo retiene prisionero, continúa buscando los objetos de sus pasiones, para vivir la misma vida y, consumiéndose en esfuerzos dolorosos, para construir órganos materiales vivos en la carne; en esas circunstancias, los antiguos vicios se le aparecen bajo monstruosas figuras que lo atacan y devoran... el infeliz pierde así, sucesivamente, todos los miembros que le sirvieron para la práctica de sus iniquidades, a través de aquel fuego astral y de esta forma sufre la segunda muerte.

La vocalización de la letra “M” produce ciertas vibraciones que cortan el hilo plateado del cadáver astral.

Capítulo VI

ACLARACIONES

142. El hombre está rodeado de envolturas cósmicas, compuestas de vibraciones, desde las más lentas y densas, hasta las más sutiles. Con la aspiración, la exhalación retenida y la concentración, puede el hombre conseguir que su mente se desarrolle y aumente la longitud de su onda hasta llegar a vivir y sintonizarse con la envoltura más elevada y sutil del "YO SOY". La onda mental del medium nunca puede pasar más allá del mundo astral, cuyas vibraciones se asemejan en densidad a la materia física.

143. Con la aspiración intensa de unirse con el "YO SOY" y de obedecer sus órdenes, con la inhalación del aliento de la vida y su retención y con la concentración poderosa y consciente, llega el hombre a su sistema simpático, donde aprende todos los misterios de la naturaleza, descubre sus símbolos y, de esta manera, se pone en contacto con la esfera cósmica deseada. Los símbolos representan las energías o corrientes de fuerzas descubiertas por los magos del pasado.

Descifrar un símbolo es descubrir una civilización y una ciencia del pasado, hoy desaparecidas, y comunicarse con la inteligencia atómica de aquellas edades.

144. "Los artistas y los iniciados llegan, a veces, a descifrar estos símbolos y se convierten en creadores para la época en que viven. Los símbolos están escritos en lenguaje cósmico, olvidado por la mente consciente del hombre, el único lenguaje de la inspiración y del sentimiento comprendido por la mente cósmica del ser".

145. El lenguaje cósmico más rico es el poseído por la Masonería. Los símbolos contienen todas las llaves del mundo interno superior, mas, hasta el momento, nadie consiguió leer ese idioma y, si alguien llegó a leerlo, no lo puede entender. Leer el símbolo significa concentrarse en él, formular un mensaje y entregarlo al propio guardián. Si el mensaje es aceptado, vendrá la respuesta en forma también simbólica. La cruz, por ejemplo, es el símbolo de la perfección y no de la muerte. La crucifixión significa el dominio completo y el triunfo total sobre la *bestia* (otro símbolo de San Juan), la naturaleza inferior. Esta es la enseñanza de la Iglesia Gnóstica.

146. Los símbolos de la Masonería existieron en todas las edades, en todas las religiones, en todos los templos. Estos símbolos son la imagen de nuestros pensamientos y son como puentes que los conducen de lo exterior hacia lo interior. También los símbolos representan y evocan el mal y las desgracias. Se deben evitar los símbolos mágicos malignos, para que no seamos arrastrados a las regiones inferiores.

147. Por el momento, podemos decir que todas las letras del alfabeto de todos los idiomas son símbolos de un lenguaje elevado y sagrado. También lo son los números.

Con la aspiración, la inhalación retenida y la concentración se puede leer y saber el significado de cada letra en el sistema simpático. A su debido tiempo, el aspirante será ayudado por el Maestro Interno para descifrar las letras. Millares de libros se han escrito sobre la Cábala, mas, hasta hoy nadie ha dicho cosa alguna y nadie pudo comprender nada de la simbología de las letras. Todo lo que se puede decir, de momento, es que las letras son símbolos remotos y prehistóricos de los pueblos.

148. Existe un símbolo de bendición, trazado con la mano derecha, que produce una atmósfera de paz, de felicidad y de bienestar en la persona, directa o indirectamente; mas, trazado con la mano izquierda, al contrario, provoca un ambiente nefasto y de odio. Los magos aprovechadores emplean este último para provocar la discordia y las guerras.

149. También dentro de poco será descubierto el símbolo de la Energía Creadora, que rejuvenece y prolonga la vida, pero no será dado sino a aquellos que ya manipulan el sistema simpático.

Capítulo VII

LOS DEBERES DEL COMPAÑERO

150. Las prácticas ocultas nada tienen de simples. Sin embargo, si el hombre se dedicara con paciencia, nada más que una hora por día, se convertirá en verdadero genio después de pocos años.

151. Ante todo, el discípulo debe tener una salud, por así decirlo, perfecta. El cuerpo es un acumulador de energías. La enfermedad es como una ruptura o válvula de escape. Ningún enfermo puede ser un discípulo o practicante masón *en el sentido completo de la palabra.*

152. A continuación daremos ciertas reglas para obtener y conservar la salud y la armonía del cuerpo. En trabajos futuros dedicaremos un espacio más extenso a la "Medicina Psíquica". Por el momento, las reglas más urgentes para la salud son las siguientes:

- Aprender a mantener siempre erecta la columna vertebral. Cuando esté parado y de pie, conservarse siempre en equilibrio sobre las plantas de los pies.
- Tratar de sentir siempre que está ante el Maestro y que no debe pensar ni hablar mal de nadie.
- La salud mental y física tienen que seguir paralelas.
- Deben practicarse los ejercicios respiratorios lentamente y retenidos, tal como se explicó en líneas anteriores y tal como se explicará después, para expulsar de los pulmones y de la sangre los átomos destructivos.
- Deben practicarse también ciertos ejercicios físicos, juntamente con los respiratorios, para conservar la flexibilidad de la columna vertebral.

- Deben tomarse baños frecuentes con agua ni muy caliente ni muy fría.
- Debe acostumbrarse al cuerpo a los rayos solares, excepto la cabeza, la cual debe estar en la sombra o envuelta en una toalla humedecida.
- Durante los ejercicios respiratorios y físicos, la mente tiene que estar tranquila y libre de cualquier ansiedad y pesimismo, para que no absorba átomos de la misma índole.

153. El funcionamiento de los intestinos tiene que ser perfecto. La constipación es la causa de todas las enfermedades. Este defecto se corrige con el hábito de tomar frecuentes tragos de agua durante el día, en intervalos de 15 ó 20 minutos de un trago a otro. Masticar bien los alimentos, practicar ejercicios físicos, comer mucha fruta, son también recomendaciones necesarias.

- Está permitido comer y beber de todo, empleando siempre el sentido común: usar y no abusar. Cuando se haya llegado al desarrollo interno, el YO superior guiará intuitivamente los deseos para pedir solamente la comida y bebida que le hicieren falta. El hombre debe gobernar su alimentación y no entregarse al apetito excitado y desenfrenado.

154. Hay tres clases de hombres: Físico, Mental y Espiritual. El rostro y la forma de la cabeza lo indican claramente.

El aspirante tiene que desarrollar muchos centros que están dentro del cuerpo y que, al parecer, están atrofiados por falta de uso. El desarrollo consiste en la aspiración, exhalación y concentración.

La salud mental y la tranquilidad de conciencia son muy necesarias para la adquisición de la salud física.

155. El sexo es el gran problema para el tipo espiritual. En muchas ocasiones es acorralado por pensamientos y deseos de naturaleza sexual. También en este aspecto tiene que usar el sentido común. Sin embargo, el sexo es como un niño y puede ser engañado muy fácilmente. Las siguientes prácticas pueden ayudar al estudiante:

Fijar los ojos en una flor blanca; cerrarlos y contemplar los colores que se presentan delante de los ojos cerrados. Apretar fuertemente el esfínter anal, inhalar lentamente por la nariz hasta llenar los pulmones; retener el aliento y pensar que la energía pasa por la médula espinal hasta el corazón y se sentirá entonces el calor que se eleva desde el bajo vientre y asciende hasta el corazón.

Siguiendo estas instrucciones se puede dominar prudentemente el sexo.

156. Deben tomarse diariamente dos litros de agua entre las comidas principales, para librarse de las impurezas intestinales y residuos internos.

Es necesario limpiar las fosas nasales, inhalando agua tibia, lo que evita el catarro y fortalece sus tejidos y membranas.

Es necesario tomar un poco de agua antes de los ejercicios. Los átomos positivos aspirados se comunican más fácilmente cuando el estómago está limpio y contiene agua. Bendecir o magnetizar el agua, antes de tomarla, aumenta su poder curativo y la convierte en imán que atrae los átomos puros y constructivos.

157. Al principio, hay que tratar de inhalar y respirar átomos solares positivos, solamente por la fosa nasal derecha. Si se verifica que la fosa nasal izquierda es la que está funcionando, basta acostarse sobre el lado izquierdo durante algunos minutos y se abrirá la fosa nasal derecha.

Si se está de pie, es suficiente colocar debajo de la axila izquierda un tubo o un rollo de papel y se abrirá el conducto derecho. También comprimir la pantorrilla surtirá el mismo efecto.

158. Cada tipo de hombre debe buscar el alimento y la vida más adecuados para su temperamento. El tipo físico, caracterizado por la anchura y robustez de sus mandíbulas, tiene que cuidar su estómago, hígado e intestinos; el tipo mental, de sus pulmones y el espiritual debe vigorizar sus órganos sexuales con respiraciones profundas y baños genitales con agua fresca.

Dormir sobre el lado izquierdo abre la fosa nasal derecha, por medio de la cual el cuerpo se llena con la energía solar positiva, lo que hace funcionar mejor el aparato digestivo (Ver *Las Llaves del Reino Interno*).

159. El primer ejercicio consiste en sentarse en posición erecta y entrelazar las manos, con los pulgares cruzados. Así no penetrará ningún átomo obsesivo o destructivo.

En este estado, debe formularse el deseo y aspirar a obtenerlo, con mucha decisión y certeza; enseguida, aspirar lentamente hasta llenar los pulmones; retener el aliento el mayor tiempo posible, sin llegar a la fatiga y, al exhalar, dirigir el pensamiento al centro que se desea vitalizar, para que manifieste sus cualidades y poder. La mente debe siempre conservarse alerta y pura.

El ejercicio debe repetirse unas siete veces, concentrándose en el campo magnético que se desea despertar. Luego, al concluir, enviar, con agradecimiento, los átomos aspirados al Átomo Nous, en el corazón, que siempre responde con alguna manifestación interna sentimental.

Practicando este ejercicio varias veces al día, por lo menos tres, después de un mes o antes, se comenzará a sentir el efecto siguiente: una sensación de calor en dicho centro. Entonces, se podrá obtener las instrucciones claras del Mundo Íntimo del "YO SOY".

160. El hombre que aspira siempre a un ideal,

infaliblemente lo obtendrá. Porque, con la aspiración constante, Nous reúne y distribuye los átomos aspirados, en la corriente sanguínea, los cuales nos ponen en contacto con la fuente de la salud y del equilibrio.

El pensamiento es el hombre. Tal como piensa el hombre en su corazón, así es él. Aspirar, inspirar y pensar conduce al Aspirante a la presencia de su propio Maestro Interno, que lo guía, enseña y descubre todos los misterios escritos en su sistema nervioso, en forma intuitiva y sentimental, esto es, son sentidos mentalmente.

161. Aspirar, inspirar y concentrar, para elevar la energía procreadora a las regiones superiores del cuerpo, aumenta la energía física y mental del hombre y, con el ejercicio, se formará a su alrededor, el "Huevo Aurico", que es una especie de energía luminosa, esencia pura de nuestra energía sexual; es como la luz del fuego, sin humo. Esta luz, blanca y diáfana, es el Templo del Maestro de la mente y es como un transmisor de la voluntad del "YO SOY".

Como se explicó en *Las Llaves del Reino Interno* y en *Rasgando Velos o la Develación del Apocalipsis*, el hombre tiene siete centros magnéticos en su cuerpo y cada centro es un grado en la Universidad Interna. Una vez desarrollados estos centros o descongelados, según la expresión del Apocalipsis, el Aspirante conocerá las vidas pasadas y sus consecuencias en las futuras.

162. El despertar o la actualización de estos centros demostrará la evolución del hombre, desde el inferior o más bajo hasta el estado actual y él se enfrentará, entonces, con sus dos naturalezas o polaridades: el Bien y el Mal o lo positivo y lo negativo.

Quien pudiere abrir sus centros magnéticos, gobernará los elementos de la naturaleza y las influencias de los planetas.

Cuando lleguemos a ese estado, no encontraremos

el mal con cosa alguna y en nadie, porque ya no los tendremos en nosotros mismos. Seremos atrayentes, sanaremos con la palabra y los gestos. Hasta la muerte nos será tan familiar como cualquier otra circunstancia de la vida.

163. El discípulo que quiere dedicarse a la vida superior, encontrará la sabiduría en todos los hechos de la naturaleza. Su carácter tiene que estar por encima de toda mácula o sospecha. Debe ser fuerte y domador de las fieras internas, si no quiere ser arrastrado al mundo inferior.

Todo estudiante fiel y sincero, exento de presunción y vanagloria, tarde o temprano se encontrará con su Yo Superior, que es el Maestro Conductor o Arquitecto, que se encuentra en alguna parte del cuerpo, que lo guiará a la Divina Presencia, Es él quien prepara al discípulo, con el fuego sacro, para el bautismo de fuego, que ascenderá desde el sistema seminal al Huevo Aurico y del Huevo Aurico al Mundo Mental, formando así el perfecto Cuerpo Mental.

164. Este fuego sagrado es la meta de todo discípulo; es la divina herencia de la cual, en tiempos pasados, no supo aprovechar los beneficios. El discípulo procurará llevar átomos puros al Atomo Nous, que los dirigirá en su trabajo para la construcción del Templo. Nous es el Maestro Masón (constructor) del cuerpo.

165. El Cuerpo Físico es el templo del Mago; es su apoyo, por medio del cual puede dominar ángeles y demonios. Es necesario conservarlo puro y sano y, enseguida, conocerlo, poder utilizarlo de acuerdo con las Leyes Supremas y Divinas que se manifiestan en él y por El.

166. En el hombre hay dos fuerzas inteligentes que representan su naturaleza superior e inferior. Estas dos fuerzas o dos naturalezas han tenido muchos nombres según las religiones y edades. Fueron llamados Angel y Demonio; Angel Custodio y Terror del Umbral, Miguel y Satanás, etcétera. Nosotros preferimos llamarlos Yo Superior y Yo Inferior.

167. El Yo Superior es la reunión de todo lo que es bueno, que es y que está en el hombre. Él es el custodio o guardián e intercesor; es quien vigila nuestro desarrollo en nuestros centros-grados. El Yo Superior es la Entidad Luz, es el Angel del Esplendor, es Adonay, cuya presencia es terrible, debido al brillo que emana de sí mismo.

168. El Yo Inferior es el Morador, Espectro o Terror del Umbral; es nuestro ángel tenebroso que tiene bellezas y radiación de orden maligno. Con facilidad podemos sentir su presencia en nosotros.

169. Con el desarrollo y la práctica, el discípulo sentirá la presencia de las dos fuerzas en sí y es por este motivo que vemos cómo cada hombre tiene actitud doble o, mejor dicho, doble naturaleza y procedimiento en la vida.

170. El Yo Superior y el Yo Inferior son nuestras propias creaciones. Durante nuestras vidas pasadas hemos creado dos formas mentales antagónicas: la superior es la reunión de todo lo que es más elevado y luminoso de nuestras aspiraciones, pensamientos y obras; la inferior es la aglomeración de todas nuestras pasiones, deseos y actos.

171. Cuando el discípulo llega al desarrollo interno, comienza a ver claro y podrá enseñar a los hombres a ver en su interior. No será profeta ni adivino, tal como significan hoy estas palabras en la mente de los hombres, pero será como el verdadero médico que prevé los resultados distantes de las acciones actuales y no atribuye el castigo, por el abuso, al demonio, ni tampoco la recompensa a un Dios. Toda falta es un error y todo error trae consigo su dolor, así también, todo dominio y toda virtud acarrean placer y felicidad.

Los errores producen dolores y desgracias que se adhieren al cuerpo en forma de una entidad inteligente, llamada Yo Inferior. También la aspiración a lo elevado, a lo justo y a la sabiduría, crea en el hombre la otra entidad, llamada Yo Superior.

172. Los dos "YO", que son nuestras criaturas, poseen los conocimientos de las edades, pero nadie tiene la verdadera sabiduría. La Verdad es y viene del "YO SOY". El Yo Superior es el Cielo, el Inferior, el Infierno. "YO SOY" es la Ley en la cual no cabe el Cielo o el Infierno; es la Verdad en la cual no cabe nada de bien o de mal. Por esto se ha dicho que se debe oscilar entre el bien y el mal, para sentir la unión con "YO SOY".

173. El Yo Superior nos enseña cómo separar lo verdadero de lo falso; nos ayuda a quemar los átomos groseros por medio del fuego interno y, de esta manera, sacar los poderes del enemigo interno. Esto tiene que ocurrir dentro del cuerpo. ¿Cómo puede ocurrir esto? Por medio de la aspiración, de la inspiración y concentración.

174. Ya se ha dicho que *aspirar es atraer al cuerpo el objeto anhelado; inspirar y retener es colocarse en contacto con él, y concentrar es conocer las cosas e identificarse con ellas.*

"Cuando el discípulo se une a la inteligencia de las cosas, esta se repite en cuanto sustentamos la concentración. El pensamiento forma alrededor de la cosa una especie de muralla que la aísla de todas las demás influencias ajenas. La concentración es una especie de pregunta, dirigida a la inteligencia solar, que se encuentra en toda substancia y que responde, la mayoría de las veces, cuando la concentración es perfecta".

175. El Yo Interno de todo ser responde a toda concentración. Esto explica lo que es la oración para los muertos y por los vivos; porque en cuanto pensamos en un amigo o enemigo y le enviamos nuestro amor o nuestro odio, unimos nuestra propia atmósfera a la de él, y su Yo Interior responde conforme nuestros pensamientos afectan su atmósfera mental. Esto significa que lo que deseamos a los otros nos será devuelto con creces.

176. Este mismo proceso es aplicable internamente y recibimos la respuesta de la misma forma.

Por esto debemos estudiar, primeramente, las leyes de nuestros centros internos o grados de sabiduría. Se debe tener pureza en la aspiración y en el pensamiento, para poder recibir y encontrar lo que buscamos. El objeto de estas líneas es estudiar las leyes internas, para después desarrollarnos con la práctica metódica y constante.

Cada aspirante debe descubrir por sí mismo uno de los tres grandes secretos que más se adaptan a su temperamento, para unirse al "YO SOY".

Capítulo VIII

LOS DEBERES DEL COMPAÑERO PARA CON LOS DEMAS

177. El Compañero tiene que cumplir muchos deberes que su grado operativo le exige, para que se transforme en un obrero del Progreso, de la Libertad, de la Igualdad y de la Fraternidad.

El Masón debe estudiar y practicar. El Compañero debe hacer de su trabajo constructivo un ideal. Las obras del Masón le libertan de su esclavitud y lo convierten en Rey y Sacerdote del más elevado Ideal, que es el de servir a los demás y ser colaborador de Dios.

El Compañero debe vivir para trabajar.

El trabajo debe ser la práctica del Sermón de la Montaña. En los capítulos V, VI y VII del *Evangelio de San Mateo* está la Senda del Aprendiz, Compañero y Maestro.

Capítulo V: Sermón de Jesús en la montaña.- Las beatitudes.

1. Y viendo Jesús la multitud, subió al monte y, después de haberse sentado, se aproximaron sus discípulos.
2. Y él comenzó diciendo:
3. Bienaventurados los pobres de espíritu, porque de ellos es el reino de los cielos.
4. Bienaventurados los mansos, porque ellos poseerán la tierra
5. Bienaventurados los que lloran, porque ellos serán consolados.
6. Bienaventurados los que tienen hambre y sed de justicia, porque ellos serán hartados.
7. Bienaventurados los misericordiosos, porque ellos alcanzarán misericordia.

8. Bienaventurados los limpios de corazón, porque ellos verán a Dios.

9. Bienaventurados los pacificadores, porque ellos serán llamados hijos de Dios.

10. Bienaventurados los que han sido perseguidos por causa de la justicia, porque de ellos es el reino de los cielos.

11. Bienaventurados sois cuando os injuriaren, os persiguieren y, mintiendo, dijeren todo mal contra vosotros por mi causa.

12. Alegraos y exultad, porque es grande vuestro galardón en los cielos, pues así persiguieron a los profetas que existieron antes de vosotros.

13. Vosotros sois la sal de la tierra: pero si la sal se tornara insípida, ¿con qué se salaría? Para nada serviría sino para ser lanzada afuera y pisoteada por los hombres.

14. Vosotros sois la luz del mundo. No se puede esconder una ciudad situada sobre un monte.

15. Nadie enciende una vela y la coloca debajo de un costal, sino sobre el candelabro y así ilumina a todos los que están en casa.

16. Dejad que de ese modo brille vuestra luz delante de los hombres, que ellos vean vuestras buenas obras y glorifiquen a vuestro Padre que está en los cielos.

17. No penséis que vine a revocar la ley o a desconocer a los profetas. No he venido a revocar sino para darles cumplimiento.

18. Porque en verdad os digo: mientras existan el cielo y la tierra, no se le quitará a la ley ni una letra ni un punto, hasta que todo se cumpla.

19. Aquel, pues, que violare el más mínimo de estos mandamientos y no lo enseñare a los hombres, será llamado mínimo en el reino de los cielos; pero aquel que los observare y enseñare, ese será llamado grande en el reino de los cielos.

20. Porque os digo: si vuestra justicia no excede a la de los escribas y fariseos, de ninguna manera entraréis en el reino de los cielos.

21. Habéis oído lo que fue dicho por los antiguos: *No matarás y, el que matare, estará sujeto a juicio.*

22. Porque os digo que todo aquel que se torna en contra de su hermano, está sujeto a juicio y quien llamare a su hermano *"Raca"* será sometido a juicio del sanedrín, pero el que le dijere estúpido, será sujeto al fuego del infierno.

23. Si fueres, pues, a presentar tu ofrenda al altar y allí recordares que tu hermano tiene alguna cosa contra ti.

24. Deja tu ofrenda delante del altar y vete, primero, a reconciliarte con tu hermano y después regresa a presentar tu ofrenda.

25. Reconcíliate sin demora con tu adversario, mientras estás con él en el camino; para que no suceda que tu adversario te entregue al juez, el juez al oficial de justicia y seas llevado a prisión.

26. En verdad te digo que no saldrás de allí antes de que pagares el último céntimo.

27. Habéis oído lo que fue dicho: *No cometerás adulterio.*

28. Yo, en cambio, os digo que todo aquel que pone sus ojos en una mujer para desearla, ya en su corazón cometió adulterio con ella.

29. Si tu ojo derecho te sirve de piedra de tropiezo, arráncatelo y lánzalo fuera de ti; puesto que más te conviene que se pierda uno de tus miembros, antes de que todo tu cuerpo sea lanzado al averno.

30. Si tu mano derecha te sirve de piedra de tropiezo, córtala y lánzala lejos de ti; pues te conviene más que se pierda uno de tus miembros, antes de que todo tu cuerpo vaya al averno.

31. También fue dicho: *Quien repudie a su mujer, déle*

carta de divorcio.

32. Yo, en cambio, os digo que todo aquel que repudiare a su mujer, a no ser por causa de infidelidad, la hace ser adúltera y cualquiera que se casare con la repudiada cometerá adulterio.

33. También habéis oído lo que fue dicho por los antiguos: *No jurarás en falso y cumplirás para con el Señor tus juramentos.*

34. Yo, en cambio, os digo que absolutamente no juréis, ni por el cielo, porque es el trono de Dios.

35. Ni por la tierra, porque es el escabel de sus pies, ni por Jerusalén, porque es la ciudad del gran Rey.

36. Ni juréis por vuestra cabeza, porque ni un solo cabello podríais tornar blanco o negro.

37. Que sea vuestro hablar: sí, sí, no, no, pues todo lo que lo rebase viene de lo maligno.

38. Habéis oído que fue dicho: *Ojo por ojo, diente por diente.*

39. Yo, en cambio, os digo: no resistáis al hombre malo: a quienquiera que te abofetee la mejilla derecha, muéstrale también la otra.

40. Al que quiera demandarte para quitarte la túnica, entrégale también la capa.

41. Y si alguien te obliga a andar con él una milla, acompáñale dos.

42. Dad a quien os pide y no deis la espalda a quien desea que le prestéis.

43. Habéis oído decir: *Amarás a tu prójimo y aborrecerás a tu enemigo.*

44. Yo, en cambio, os digo: Amad a vuestros enemigos y orad por aquellos que os persiguen.

45. Para que seáis hijos de vuestro Padre que está en los cielos, porque él hace nacer el son sobre malos y buenos y manda lluvias sobre los justos e injustos.

46. Porque si amares a los que os aman, ¿qué re-

compensa tendréis? ¿No hacen los publicanos también lo mismo?

47. Y si saludareis solamente a vuestros hermanos, ¿qué hacéis de especial? ¿No hacen los gentiles lo mismo?

48. Sed vosotros, pues, perfectos, como vuestro Padre que está en los cielos, es perfecto.

Capítulo VI: Las limosnas, oración y ayuno.

1. Mirad que no hagáis vuestras obras delante de los hombres, para que sean vistas por ellos; de otra suerte, no tendréis recompensa junto a vuestro Padre que está en los cielos.

2. Así pues, cuando diereis limosna, no hagáis tocar trompetas delante de vosotros, como lo hacen los hipócritas en las sinagogas y en las calles, para ser honrados por los hombres. En verdad os digo que ellos ya recibieron su recompensa.

3. Vosotros, sin embargo, cuando diereis limosna, no dejéis que vuestra mano izquierda sepa lo que hace vuestra derecha.

4. Para que la limosna quede en secreto y vuestro Padre, quien ve en secreto, os retribuya.

5. Cuando recéis, no seáis como los hipócritas, que gustan de orar de pie en las sinagogas y en los cantos de las calles, para ser vistos por los hombres. En verdad os digo que ellos ya recibieron su recompensa.

6. Vosotros, en cambio, cuando recéis, entrad en vuestro cuarto y cerrada la puerta, rezad a vuestro Padre que está en secreto y vuestro Padre, que ve en secreto, os retribuirá.

7. Cuando oréis, no uséis repeticiones innecesarias, como hacen los gentiles, porque piensan que, por el mucho hablar, serán escuchados.

8. No seáis, pues, como ellos, porque vuestro Padre sabe lo que vosotros necesitáis antes de que lo pidáis.

9. Por tanto, orad vosotros de este modo: Padre nuestro, que estás en los cielos, santificado sea tu nombre.

10. Venga a nos el tu Reino; hágase tu voluntad, así en la tierra como en el cielo.

11. El pan nuestro de cada día dánoslo hoy.

12. Y perdónanos nuestras deudas, así como nosotros perdonamos a nuestros deudores.

13. Y no nos dejes caer en la tentación, mas líbranos del mal. Amén.

14. Porque si perdonareis a los hombres sus ofensas, también vuestro Padre Celestial os perdonará.

15. Mas, si no perdonareis a los hombres, tampoco vuestro Padre perdonará vuestras ofensas.

16. Cuando ayunareis, no toméis un aire triste como los hipócritas, porque ellos desfiguran sus rostros para hacer ver a los hombres que están ayunando. En verdad os digo que ellos ya recibieron su recompensa.

17. Mas cuando ayunareis, ungid vuestra cabeza y lavaos el rostro, para no mostrar a los hombres que ayunais.

18. Mas solamente a vuestro Padre que está en secreto y vuestro Padre ve en secreto os retribuirá.

19. No ayunéis por vuestros tesoros de la tierra, donde la polilla y la herrumbre os consumen y donde los ladrones penetran y roban.

20. Mas ayunad para vuestros tesoros en el cielo, donde ni la polilla ni la herrumbre os consumen y donde los ladrones no penetran y roban.

21. Porque donde está vuestro tesoro, ahí está también vuestro corazón.

22. La luz del cuerpo es el ojo. Si este, pues, fuere sencillo, todo vuestro cuerpo será luminoso.

23. Mas si fuese malo, todo vuestro cuerpo estará lleno de oscuridad. Si, entonces, la luz que hay en vosotros es tinieblas, ¡cuán grandes serán las tinieblas!

24. Nadie puede servir a dos señores: puesto que ha-

brá de aborrecer a uno y amar al otro o habrá de unirse a uno y despreciar al otro. No podéis servir a Dios y a las riquezas.

25. Por eso os digo: no andéis preocupados por vuestra vida, por lo que habréis de comer o beber, ni de vuestro cuerpo por lo que habréis de vestir. ¿No es la vida más que el alimento y el cuerpo más que el vestido?

26. Mirad a las aves del cielo que no siembran ni cosechan ni guardan en graneros y vuestro Padre Celestial las alimenta. ¿No valéis vosotros mucho más que ellas?

27. Y ¿cuál de vosotros, por más anhelante que esté, puede añadir a la medida de un codo a su estatura?

28. Y ¿por qué habríais de andar ansiosos por lo que habéis para vestir? Considerad cómo crecen los lirios del campo; ellos no trabajan ni hilan.

29. A pesar de ello os digo que ni Salomón, en toda su gloria, se vistió como uno de ellos.

30. Si Dios así viste, pues, a la hierba del campo que hoy existe y mañana será lanzada al horno, ¿cuánto más os vestirá a vosotros, hombres de poca fe?

31. Así, no andéis ansiosos diciendo ¿qué tenemos para comer? o ¿qué tenemos para beber? o ¿con qué hemos de vestirnos?

32. (Pues los gentiles son los que procuran todas esas cosas); porque vuestro Padre Celestial sabe que precisáis de todas ellas.

33. Mas buscad primeramente el Reino de Dios y su justicia y todas esas cosas os serán acrecentadas.

34. No andéis, pues, ansiosos por el día de mañana, porque el día de mañana a sí mismo traerá su cuidado. A cada día bastan sus propios males.

Capítulo VII: Los juicios temerarios.

1. No juzguéis, para que no seáis juzgados.
2. Porque con el juicio con el que juzgareis seréis

juzgados y la medida que usareis, esa usarán con vosotros.

3. Y porque ves la paja en el ojo de tu hermano y, no en tanto, no reparas en la viga que tienes en el tuyo.

4. O, ¿cómo podrías decir a tu hermano: "Déjame sacar la paja de tu ojo" cuando tienes la viga en el tuyo?

5. Tu, hipócrita, saca primero la viga de tu ojo y entonces verás claramente para sacar la paja del ojo de tu hermano.

6. No deis lo que es santo a los perros, ni arrojéis vuestras perlas a los cerdos, para que no suceda que las pisoteen y regresándose os despedacen.

7. Pedid y se os dará, buscad y hallaréis, golpead y se os abrirá.

8. Porque quien pide, recibe; quien busca, encuentra y a quien golpea, se le ha de abrir.

9. O ¿cuál de vosotros dará a su hijo una piedra, si él os pidiese pan?

10. ¿O una serpiente, si os pide pescado?

11. Así, si vosotros, siendo malos, sabéis dar buenas dádivas a vuestros hijos, ¿cuánto más vuestro Padre que está en los cielos, dará buenas cosas a los que las pidieren?

12. Por tanto, todo lo que quisiereis que los hombres os hagan, hacedlo así también vosotros a ellos, porque esta es la ley y los profetas.

13. Entrad por la puerta estrecha, porque es ancha la puerta y espacioso el camino que conduce a la perdición, y muchos son los que entran por ella.

14. Porque estrecha es la puerta y angosto el camino que conduce a la vida y pocos son los que aciertan con ella.

15. Guardaos de los falsos profetas, que vienen a vosotros con ropas de ovejas, mas, por dentro, son lobos voraces.

16. Por sus frutos los conoceréis. ¿Cógense, por ventura, uvas de los espinales o higos de los abrojos?

17. Así, todo árbol bueno da buenos frutos y todo árbol malo da malos frutos.

18. Un árbol bueno no puede dar malos frutos, ni un árbol malo puede dar buenos frutos.

19. Todo árbol que no da buen fruto es derribado y lanzado al fuego.

20. Luego, por sus frutos los conoceréis.

21. Ni todo el que me dice: "¡Señor!, ¡Señor!" entrará en el reino de los cielos, sino aquel que hace la voluntad de mi Padre, que está en los cielos.

22. En aquel día muchos han de decirme: "¡Señor!, ¡Señor! ¿no profetizamos en tu nombre y, en tu nombre, no expulsamos demonios y, en tu nombre, no hicimos muchos milagros?"

23. Entonces les diré claramente: Nunca os he conocido; apartaos de mí, vosotros que practicáis la iniquidad.

24. Todo aquel, pues, que oye estas palabras mías y las observa, será comparado a un hombre prudente, que edificó su casa sobre la roca.

25. Y descendió la lluvia, vinieron los torrentes, soplaron los vientos y dieron con ímpetu contra aquella casa y ella no cayó, pues estaba edificada sobre la roca.

26. Mas todo aquel que oye estas palabras mías y no las observa, será comparado a un hombre necio, que edificó su casa sobre la arena.

27. Y cayó la lluvia, vinieron los torrentes, soplaron los vientos y golpearon con ímpetu contra aquella casa y ella cayó y fue grande su ruina.

28. Habiendo terminado Jesús este discurso, las turbas admiraron su doctrina.

29. Porque les enseñaba como quien tenía autoridad y no como los escribas.

EPILOGO

Si el amado Compañero desea seguir acompañándonos, lo llevaremos hasta el *El Tercer Grado del Maestro Masón.*

BIBLIOGRAFIA

Adoum, Jorge: *Las Llaves del Reino Interno*
——: *Rasgando velos*
——: *La Magia del Verbo*
Besant, Annie: *El Poder del Pensamiento*
Blavatsky, H. P.: *La Doctrina Secreta*
——: *Isis sin Velo*
Iglesias, J.: *La Arcana de los Números*
M: *Dioses Atómicos*
Magister, *Manual del Compañero*
Un Rosacruz: *La Masonería*

INDICE

Se terminó de imprimir en :
"Impresiones Avellaneda"
Manuel Ocantos 253 Avellaneda
en el mes de Abril de 2000

Tirada de esta edición 2000 ejemplares